大眾心理學叢書 403

吳靜吉博士策劃

每冊都解決一個或幾個你面臨的問題
每冊都包含可以面對問題的根本知識

大眾心理學叢書 403
洪蘭作品集 3

知書達理：講理就好 3

作　　者——洪蘭博士
策　　劃——吳靜吉博士
主　　編——林淑慎
特約編輯——陳錦輝
發 行 人——王榮文
出版發行——遠流出版事業股份有限公司
臺北市 100 南昌路二段 81 號 6 樓
郵撥／0189456-1
電話／2392-6899　　傳真／2392-6658
法律顧問——董安丹律師
著作權顧問——蕭雄淋律師
2004 年 1 月 1 日　初版一刷
2013 年 3 月 1 日　二版十刷
行政院新聞局局版臺業字第 1295 號

售價新台幣 250 元（缺頁或破損的書，請寄回更換）

ISBN-10 957-32-5912-5
ISBN-13 978-957-32-5912-1
ylib 遠流博識網
http://www.ylib.com　E-mail: ylib@ylib.com

洪蘭作品集3

講理就好3

知書達理

洪蘭博士◎著

《大眾心理學叢書》

出版緣起

王榮文

一九八四年，在當時一般讀者眼中，心理學還不是一個日常生活的閱讀類型，它還只是學院門牆內一個神秘的學科，就在歐威爾立下預言的一九八四年，我們大膽推出《大眾心理學全集》的系列叢書，企圖雄大地編輯各種心理學普及讀物，迄今已出版達二百種。

《大眾心理學全集》的出版，立刻就在台灣、香港得到旋風式的歡迎，翌年，論者更以「大眾心理學現象」為名，對這個社會反應多所論列。這個閱讀現象，一方面使遠流出版公司後來與大眾心理學有著密不可分的聯結印象，一方面也解釋了台灣社會在群體生活日趨複雜的背景下，人們如何透過心理學知識掌握發展的自我改良動機。

但十年過去，時代變了，出版任務也變了。儘管心理學的閱讀需求持續不衰，我們仍要虛心探問：今日中文世界讀者所要的心理學書籍，有沒有另一層次的發展？

在我們的想法裡，「大眾心理學」一詞其實包含了兩個內容：一是「心理學」，指出叢書的範圍，但我們採取了更寬廣的解釋，不僅包括西方學術主流的各種心理科學，也包括規範性的東方心性之學。二是「大眾」，我們用它來描述這個叢書的「閱讀介面」，大眾，是一種語調，也是一種承諾（一種想為「共通讀者」服務的承諾）。

經過十年和二百種書，我們發現這兩個概念經得起考驗，甚至看來加倍清晰。但叢書要打交道的讀者組成變了，叢書內容取擇的理念也變了。

從讀者面來說，如今我們面對的讀者更加廣大、也更加精細（sophisticated）；這個叢書同時要了解高度都市化的香港、日趨多元的台灣，以及面臨巨大社會衝擊的中國沿海城市，顯然編輯工作是需要梳理更多更細微的層次，以滿足不同的社會情境。

從內容面來說，過去《大眾心理學全集》強調建立「自助諮詢系統」，並揭櫫「每冊都解決一個或幾個你面臨的問題」。如今「實用」這個概念必須有新的態度，一切知識終極都是實用的，而一切實用的卻都是有限的。這個叢書將在未來，使「實用的」能夠與時俱進（update），卻要容納更多「知識的」，使讀者可以在自身得到解決問題的力量。新的承諾因而改寫為「每冊都包含你可以面對一切問題的根本知識」。

在自助諮詢系統的建立，在編輯組織與學界連繫，我們更將求深、求廣，不改初衷。

這些想法，不一定明顯地表現在「新叢書」的外在，但它是編輯人與出版人的內在更新，叢書的精神也因而有了階段性的反省與更新，從更長的時間裡，請看我們的努力。

【目錄】

第3篇 多元社會需要多元智慧

李序

日前接到洪蘭的電話，她說：「我要把最近寫的文章，集結成冊，你幫我寫序。」雖知自己的愚鈍，不夠資格，但無法拒絕，因爲我喜歡洪蘭的人，她的眞、純；喜歡聽洪蘭的演講，它豐富了我的心靈；喜歡看洪蘭的文章，它帶我進入一個我感興趣但不深入的領域——認知神經心理學。身爲教育工作的一份子，深深地察覺出，我們要儘快的讓老師、家長及喜愛教育的人，從認知神經心理學的角度探討並了解教育的本質及正確的學習方法，才能幫助更多的孩子在學習的過程中，體驗學習的樂趣。

洪蘭一直大力的推動閱讀，在〈最有意義的花錢法〉一文中提到喬龍慶博士發起認養偏遠地區的圖書館，捐錢買書給貧困的孩子，她們一起參訪甘肅省一個資源困乏的藏族小學，看到善心人士認養的圖書館，裡面的書都包上書皮，這些書拓廣了老師的視野，改進了教學法，學生也從閱讀中增加詞彙，提昇作文能力。家長感激的說：「你們幫助了孩子，點燃了家鄉的希望。」

是的，閱讀可以建構知識的鷹架，大量閱讀後就架構了豐富的背景知識，建立常識、累積學識後，一個人就有了見識，而見識廣才可能有辨識的能力及創造力，孩子們的未來才有競爭力。文章中顯示出閱讀和聯想力、創造力、理解力、記憶力等有極大的關聯。愈來愈多的研究發現，擁有良好的知識關鍵在廣泛閱讀，因爲每一學科都要透過閱讀來學習。學習曲線像波浪般一開始很慢，累積一段時間（一旦背景知識累積夠了，觸類旁通的機會增加了）後，學習就能成長了。學問一定要紮紮實實的打根基，知識是一步一腳印累積來的。

在書中，洪蘭認爲家庭教育首重品德的培養及人格特質的提昇，要多欣賞孩子的優點，好幾篇文章中都提到成功的條件不在聰明智慧而在人格特質，而父母的身教重於言教，給予孩子們溫暖安全的家，培養孩子正面思考的習慣及正確的價值觀，帶孩子一起讀書，陪孩子一起成長，比給孩子萬貫家財還來得重要。

洪蘭對於社會現狀十分憂心，社會沒正義，道德沒標準，國家沒有目標，在位的領袖沒有良好的楷模，在在引起社會的亂象，再加上台灣社會沒有閱讀習慣，因爲無知產生恐懼，不求證產生謠言迷信，也因爲沒有同理心，無法內化別人的感覺，就產生批評漫罵，如同SARS事件等等，這些現象需要在位者之正視，尋求改進之道，還給台灣一個健康、和樂、安靜及積極向上的社會。

最後的兩篇文章，看到洪蘭的人，她的眞、純、誠樸及踏實。從〈憶父親〉中，感受到她思念著影響她一生的父親，她說：父親讓我了解形體消失了，但不會影響宇宙的運行，我們可以用「立德立功立言」影響宇宙的運轉，所以我必須把握時間去影響人。這大概是爲什麼在這麼短的時間中，能寫出那麼多篇影響深遠的文章吧！

盼望所有讀過這本書的人，都有收穫。

台北市私立復興中小學校長
李珀

丁序

洪蘭，國內第一所認知神經心理所所長；大學讀的是台大法律系，出國後跨組跨院去讀神經心理學；每日工作近十五小時，三十年不易；一九九五到二〇〇三年，九年之間，譯作達25種。

單純、熱忱、專注、堅毅在她身上融爲感人的動力。關注教育的她，六年來，無論再忙再累，只要時間允許，從不拒絕各個中小學的演講邀約，以她一貫的認眞態度，向教育工作者、家長闡示最新的認知神經學發現，強調閱讀的重要。專業的熱情，大大鼓舞了教育工作者，同受激勵能夠爲指導學生的閱讀學習作出貢獻。

洪蘭的信念與堅持，讓我想到日本明治時期影響力最大的啓蒙思想家福澤諭吉（1835~1901，日本的萬圓紙鈔上的人頭像即爲福澤氏）。

一八七二年福澤諭吉在《勸學》中說：「爲達富強祖國的目標，人民應該端正自己的品行，熱心於學問，廣泛吸收知識，每個人都擁有與其身分相稱的智慧與人格。」

一八八四年福氏發表〈必須摒斥支那風〉，內容大致爲：比較西洋文明流入中、日兩國的途徑不同，中國是經由商人流入，日本是經由知識分子流入。經由中國商人流入的西洋文明只停留在外觀的層次，只是讓市面上多了一些舶來品，並沒有對中國產生思想上的根本變化。日本在鎖國時代，則由知識分子努力研究西洋學問，把吸收來的西洋學問藉著開班授徒及著書立說加以傳授，這些知識分子因爲文化水平較高，所吸收的都是西洋文明中最深層的部分。

福澤氏認爲，中國引進了西洋文明的膚淺外觀，日本則引進了深層內涵，這是爲什麼中國文明化的腳步如此遲緩，而日本那麼快捷的原因。他大聲疾呼「支那不足畏」。（呂理州著《福澤諭吉傳》，頁193~94）

我很喜歡看洪蘭的書，無論是科普的譯書或是她自己的文章，文筆流暢，架構完整，說理清晰，專業紮實、內容豐富、可讀性高、實用性高是她的特色。

《知書達理》闡釋一個信念：閱讀非常重要。她說：

．閱讀是教育的根本，未來的公民必須具備國際觀，才能與外面世界同步成長。要達到這個目的只有兩個方法：經驗與閱讀。

．多媒體教學始終是個輔助教學，無法取代閱讀。它的確可以引起學生興趣，經由多感覺管道將訊息帶給學生，但是，要奠定基礎必須靠閱讀，因爲資料不等於知識，內化了的資料才是自己的知識。網路上的訊息太多，除非有組織能力與邏輯性思考能力，否則無從取捨。而閱讀正是培養邏輯推理最好的方式，因此，未來公民必須靠寬廣的背景知識作爲吸收新知識的鷹架，幫助他適應新世紀的挑戰。

．學生作文退步是因爲他們沒有廣泛閱讀，與考試無關。

．生手和大師的差別在於有沒有足夠的背景知識來建構他的基模。當基模健全時，外界傳入的訊息經過基模的解讀，意義釐清後被放入適當的位置中，就像我們在玩拼圖遊戲一樣。

．廣泛的生活知識及因閱讀而來的背景知識是創造力的基本條件，閱讀培養邏輯性的思考方式，而邏輯性的推理是創造力的根源。

．有創造力的人通常不是知識最深、最聰明的人，但他一定是最有觀察力、知識最廣的人。因爲知識廣在神經學上代表的是各個神經迴路之間的連接很密，可以觸類旁通。記憶在神經學上的定義是神經迴路的活化，當許多條神經迴路都被活化，共同的交接點就會產生新的點子的觸發，也就是所謂的創造力。

- 學生上台作報告，當一個學生可以不看講稿侃侃而談時，他所講出的是已被他自己吸收、內化了的知識。在學習上亦然。因爲一個死記背誦的知識是無法轉換的，而無法轉換的知識是無法觸類旁通、引發新知識的。知識的不足，使得我們的學生無法達到批判性思考的地步，或做出獨立判斷的能力，假如你不知道別人講得對不對，如何能做出任何的判斷？假如你不知道這件事的來龍去脈，如何能對它提出批判性的思考？目前我們社會上充滿人云亦云的現象，最基本的原因就是我們國民的知識不夠，不足以作有智慧的判斷。
- 對一個高中生而言，最需要是語文與組織能力。語言是國際語文能力。之所以需要組織能力，是因爲在所有的資料都在網上，下載便可。但是，如果沒有組織能力，呈交出來的便是「資料彙集」而非「心得報告」。資訊太多了之後，必須知道取捨，並從取下的資料中找出彼此之間的關係，整理出自己的創見。
- 想像力無法憑空而起，無中生有，多少要有一些依憑，才可以捕風捉影。閱讀正是提供想像力最好的翅膀，沒有想像力就沒有創造力。
- 一個有創造力的心靈必須是自由的，它必須不受束縛，而閱讀正是解開它的束縛，使它飛翔的金鑰匙。在談創造力的今天，讓我們從創造力的基本做起，鼓勵孩子閱讀，打開他們心靈的世界，放他高飛翺翔。

老師、父母、學生，不同的人讀這本書，都能從作者紮實的專業素養、豐富的閱讀經驗、說故事般的生動敘述、深入淺出的意理中擷取可反思、可轉化、可實踐的專業知識、宏觀洞見。這是一本好讀、好用的書，非常值得向大家推薦。

台北市立中山女高校長
丁亞雯

自序

小孩子都覺得時間過得很慢，要吃一口月餅得等上一年，要穿一件新衣也得盼上一年。但是人一長大，不知怎地，同樣是一年三百六十五天，日子卻過得飛快，變成像小學作文簿上寫的「光陰似箭，日月如梭」，每天進辦公室還沒做幾件事，下班的交通車又要開了，只得急忙收拾書包趕交通車，成天被期限趕得透不過氣來。

算一算，從《講理就好》出版到現在匆匆二年過去。這兩年間，物換星移，世事滄桑，我父親過世了，我從陽明大學借調到中央大學，成立了台灣第一個認知神經科學研究所，先生回到學術界，孩子離家上大學……但是不論人間發生什麼事，日月一樣運行，天地一樣如故。就像父親剛過世時，全家頓時覺得支撐的棟梁倒了，日子過不下去了；但是每天早上，旭日一樣東昇，人也只得跟著一樣起床、做事，跟著它轉。結果，眞的是「天行健，君子以自強不息」，只要有做就會有成績出來，就這樣每天追星趕月，居然又到可以彙集成冊的地步了。

在寫專欄之初，我非常恐慌，心想：「哪有這麼多話每個月說呢？」想不到，跟著日月星辰的運轉，在編輯的催促下，一篇篇的稿子竟陸續出爐，連父親過世的月份都沒有脫稿。人有時眞令自己驚異。尤其從父親過世後，我額外多承諾了《國語日報》的專欄，因爲深深感到「時不我予」，要趕快把握時間多做一些事，以不辜負此生。

這本書收集的是自二〇〇一年十二月到〇三年十二月的《康健》、《遠見》等專欄所寫的文章，大部分是從認知心理學的觀點看社會上發生的形形色色事情。認知心理學是一門探討人的大腦和行爲的科學，台灣因爲過去心理學的傳統是由社會心理學主導，因此，生理心理學和認知心理學的發展極爲緩慢，這麼多年來所培養的人才屈指可數，所以我急著把這方面的資訊帶進台灣並喚起國人的注意。畢竟，認知神經科學在國際上已躍爲主流。美國把神經科學訂爲研究發展的重點，「這是腦的十年」（This is the decade of brain.）從老布希講到小布希，全世界都在成立腦科學研究中心，全力研究腦，只有我們還在努力向國人解釋什麼是認知神經科學。我很希望政府重視它，更希望引起年輕人的興趣，進入這個領域——人多才好辦事，只有匯集很多的腦力才可能解開腦的奧秘。

三十年前我去美國留學時，我們老師說：「人腦發明電腦，電腦反過來研究人腦，靠著無限大的記憶容量，或許我們可以解開腦的奧秘。」過了二十年後，人腦更發明了腦造影技術，有了核磁共振儀、正子斷層掃瞄儀，人類第一次在活人身上看到大腦工作的情形，這眞是一個了不起的發明，難怪這方面的研究者中已經有五位拿到諾貝爾獎了。我們的祖先眞是做夢也不會想到可以在你思考的同時，看到你大腦活動的情形，或是在你說謊的同時，透過你大腦的活動知道你在說謊。有了這些技術，大腦秘密檔案之謎底的揭曉也就愈來愈近，成爲國際競爭的目標。

因爲語言是個窺視大腦的窗口，人人都會說話，所以有類化價值；而說話代表大腦思考的歷程，因此研究大腦處理語言的歷程，就可以知道大腦內在工作的情形。同時，人類靠著學習才能生存到現在，而學習歷程現在已經可以自腦中看到，我們可以進一步從腦的演化推測人類的演化。

由於漢語的特殊性（動詞沒有時態變化，名詞複數不加s等等），詞和詞之間沒有邊界，每個字都是同等距離（如天花板，每個字之間的距離都一樣，每個字又有它自己的意思，天和天花不同，天花又和天花板不同，每增加一個字就可以改變新詞的意思），所以漢語的研究帶給我們一個研究大腦很好的工具。可惜的是政府一直看不到腦科學的重要性，雖然我們不斷大聲疾呼，卻眼睜睜看著別人在進步，而我們只在原地踏步（這就是退步），心中眞的很著急。我的感覺很像丘逢甲在台灣割讓給日本時，所寫的詩文「宰相有權能割地，孤臣無力可回天」，只好知其不可而爲之，盡自己的力，能做多少算多少。

有人問我這麼老了，現在推認知科學，將來來得及看到成果嗎？我心中想到的是《容齋隨筆》中的一個故事。南宋洪邁四十七歲告老還鄉，回到鄉里種樹，他所種的松僅高四、五寸，土壤又貧瘠，種下去也不保證它會活；但是過了二十年後他回去看，「蔚然成林，皆有干霄之勢」。他引用白居易的〈栽松〉一詩：「小松未盈尺，心愛手自移。蒼然澗底色，雲濕煙霏霏。栽植我年晚，長成君性遲。如何過四十，種此數寸枝？得見成蔭否？人生七十稀。」我只要好好做，當我七十歲時應當會看到中國的認知神經科學蔚然成林，干霄雲天。

事實上，這是一件非做不可的事，因爲在民智已開的社會，光是「知其所以」是不夠的，必須「知其所以然」才行。只有知道原因，醫生才能對症下藥，孩子才會心悅誠服的改變他的行爲，最重要的是一個錯誤的觀念才可能改得過來。從事社會工作的人都知道，觀念的改變非常緩慢，在「水到渠成」之前其實需要非常多的人力挖壕溝、打先鋒，水來到時才會順著壕溝往正確的方向流。歷史上不知有多少人物先看到事實的眞相，但是時機未成熟，他所提出的論點就如輕煙一樣，隨風而逝，沒有在人們的心目中留下任何痕跡，必得等到這個觀念逐漸形成共識，時機成熟，登高一呼，才能成氣候。

這本書所收集的，就是我一鏟一鏟挖壕溝的努力，希望有朝一日，水到渠成。或許有些話你覺得耳熟，那些話是我認爲的重點，希望透過不同的方式打動人們的心，改變人們的觀念，獲得人們的認同。只有獲得認同，改變才能成功。就像教改十年被人罵得一塌糊塗，但是有多少人曾捫心自問，我的觀念改變了嗎？我是否還是保持「萬般皆下品，惟有讀書高」的陳舊觀念？我的觀念趕得上時代的需求嗎？我是否在這個多元的社會裡仍然要求孩子一元，只要功課好，別的都不要管？我是否仍要求他考一百分，不論他的性向、努力、長處？

對我而言，教改是必然的，因爲社會在進步，時代在改變，現實世界對年輕人的要求已經不一樣，教育必須跟著改，才能配合時代的需求。但是改革最主要是改「心」，心不改，只改制度時，會「上有政策，下有對策」，再好的美意，不盡心去做，也不會有好結果。

很不幸的是，心的改變是緩慢的，只有當社會大眾看到「行行出狀元」，黑手、小販不憑學歷憑實力走出一片天，或是人人稱羨的醫師、律師、工程師最後還是改行去繪畫、創作、寫文章才得到快樂，才會了解順著孩子的天性發展親子關係才會雙贏。金錢和快樂不是線性關係，當基本需求照顧到以後，增加金錢所增加的快樂就很有限；相反的，自我得以發揮所帶來的滿足感和快樂的關係就是一個線性關係，自我成就愈高，帶來的快樂愈高。了解到這一點，父母應該順著孩子的天性，鼓勵他發展他的長處，因爲只有孩子快樂，父母才會快樂。

親子關係是一個很奇妙的關係：父母快樂，孩子不一定快樂；但是孩子快樂了，父母一定快樂。這就是爲什麼每一個人應該走他自己的路，不應該取悅他人，因爲一時的「孝」，最後會變成「不孝」，你的不快樂會帶給父母懊悔，反而變成不孝。

我的父親活在這個世界上九十年，沒有浪費一分鐘不去充實他自己或是盡他的本份。我很遺憾父親不能看到這本書的出版，但是生死本來就是自然的韻律之一，父親常說：「肖形天地間，範圍陰陽內，其生也天，其死也天；死生聚散世之常態，何憂喜之有哉。」我不能悲傷他的逝去，只是很遺憾他必須走，讓我非常的想念他。謹將此書獻給我的父親，讓他知道我也沒有浪費一分鐘不去充實我自己或是不去盡我的本份。希望我在離開這個世界之前也能像他一樣，充充實實的過一生。

第 *1* 篇

怪力亂神不敵科學

1 課外書是課本的鷹架

有一位母親面色凝重的對我說她的孩子只喜歡看課外書，不喜歡讀課本，我驚訝的問：「他有功課不好嗎？」母親說：「沒有，但是他不肯念課本。」我說：「這有什麼關係呢？知識是相通的，課外書讀多了，課本的東西不讀也會。他喜歡讀課外書，你喜歡成績高，你們兩人各得其所，爲什麼還要煩惱呢？」

閱讀是教育的基石，所謂開卷有益，只要不是黃色小說，讀什麼不應管太多；但是現在仍有許多父母反對孩子看課外書，仍然不了解知識其實是無所謂「課外」或「課內」的。課外書就是課本的鷹架，背景知識愈廣，孩子愈容易接受課本所要傳遞的知識。

人的學習可以分爲兩種：教室中特意的學習（intentional learning）和生活中無意間的學習（incidental learning），這兩種學習都很有效，但是用得最多的，還是無意間的學習。葛林爵士

（Lord Green）說得好：「學校教育的目的不是在學到任何有用的東西，而是在培養人格和情操、正確的社會觀念和交到好朋友。」王爾德（Oscar Wilde）也說：「教育是件好事，但是請記住：許多值得學的東西是無法在學校裡教的。」現在科技進步這麼快，《天下》雜誌的殷允芃發行人也說：「高科技十八個月就淘汰一輪，傳統科技五年淘汰一輪。假如我們仍然教給他死知識而不是活的求知方法，那麼等他畢業進入社會時，這個知識早就落伍了，被淘汰掉了。」

背景知識是許許多多無意間學習的累積。我孩子小的時候，我曾講《西遊記》的故事給他聽，哄他睡覺。後來，他隨我回國任教，住在陽明大學的宿舍中，我們的宿舍靠山，常有一些蛇、蜈蚣出入，有一天夜裡，做完實驗帶他回家時，赫然發現客廳有一隻大蜈蚣，我兒子立刻大叫說：「媽媽，趕快去抓一隻大公鷄來！趕快去抓一隻大公鷄來！」但是台北哪裡有活的大公鷄呢？最後是請隔壁的教授來把牠打死，我們才敢進門。但我心裡一直很納悶，兒子是怎麼知道鷄是蜈蚣的剋星呢？這個知識他平常不太可能接觸到（外國人不流行一物剋一物），他也從沒見過蜈蚣。這個謎一直到最近清理舊的錄影帶，看到一卷他五歲時我講《西遊記》給他聽的帶子，這才恍然大悟。

我曾經講過三藏取經，師徒一行來到黃花觀，那個道士是蜘蛛精的師兄蜈蚣精，爲了報仇，把劇毒塞在紅棗中，泡茶給唐僧師徒解渴，結果唐僧、豬八戒、沙僧都中毒倒地，只有孫悟空眼尖，看到道士的茶沒有棗子，他便不吃，沒有被害（父母在講故事時可以順便傳授生活經驗，敏銳的觀察力是可以救命的）。這個道士腋下有一千隻眼睛，照得孫悟空睜不開眼，後來經過菩薩指點，請出昴日星官來，站在坡前，露出公雞的本相，對著道士高啼三聲，道士便倒地變成一尺長的蜈蚣。想不到五歲時無意間的學習，當情節恰當時，竟然在過了十年後跑出來。

孩子是無時無刻不在學習的，我們爲什麼還要分課內學習和課外學習？只要他能快樂學習就好！（《遠見》雜誌，二〇〇一年十二月）

2 從電玩談多元化能力

曾政承在韓國拿下世界電玩遊戲的冠軍，引起國內教育界的軒然大波。CoCo在報上畫了一幅極好的漫畫，一個穿著「傳統教育」字樣的老者雙手捂胸，胸上插了一支矛，哀叫著「我受傷了」，旁邊站著一個拿盾牌的電玩武士。

曾政承的確直搗傳統教育的核心，因爲傳統教育是一元化的，是智育掛帥的，凡是不符合智育條件的都編入放牛班或後段班，忍受父母師長同學異樣的眼光。這是非常不人道的做法，人天生長短不一，各有所長，教育的目的應該是讓每個人的長處得以發揮，而不是將所有人打壓成一個模子。

一個遊戲如果能非常吸引孩子，我們應該了解它的長處在哪裡，而不是一味禁止。要知道道高一尺、魔高一丈，防堵是無效的。我們曾經做過一次電玩遊戲和空間能力的研究，因爲有文獻報告說現代人的智力比以前人高，但不是語文能力的增高而是空間能力，尤其是在瑞文氏測驗（Raven's Progressive Matrices Test）的表現增強。我們很好奇，原以爲電視會使孩子的圖形能力增加，想不到並沒有，增進的是空間推理能力，因此特別拿出瑞文氏測驗來看。

這是一個九宮形的矩陣，上面有八張圖，第九格從缺。下面有八個答案，受試者必須很快從這八個答案中挑出最適合的填上去。這個測驗十分困難，大人做都不一定做得好，但是有電玩經驗的孩子就不同了。那些有七年以上電玩經驗的孩子，都能在三十分鐘內做完三十六題，而且正確率可以到九八%，而沒有打過電玩的控制組都無法在規定的時間內做完，正確率只有五六%。我們後來用眼動儀追踪他們眼球的移動以觀察他們解題的策略，結果發現打電玩的孩子眼睛移動的方式完全不一樣，他們眼睛掃過九宮格後，心中似乎就有了底，眼睛飄到答案處只是在尋找他們要的圖案，而不是像控制組的同學把答案一個個移上去和九宮格做比對。我們並不知道電玩遊戲給了他們什麼經驗，但是我們知道他們從遊戲中練就一身空間地圖的推理能力。

後來我觀察我兒子打電玩，在一個遊戲中螢幕出現一匹馬，上面寫個4；一隻蝦，下面寫個8；又有一個天平，下面是個空格。如果能猜對答案，地道的門就會打開，可以進入下一關。我在猜「2」時，我兒子毫不猶疑的打個「0」，結果地道的門應聲而開。我非常吃驚，不知道爲什麼他選「0」，他大惑不解的說：「媽媽，你怎麼搞的，馬有4條腿，蝦有8隻腳，天平沒有腳呀！」的確，前二者是生物，天平是非生物，打電玩的孩子在分類及推理等邏輯性方面好像比我們大人腦筋淸楚得多，電玩訓練他們最多的應該是空間能力。

我曾經帶我兒子去榮總地下室看核磁共振儀，榮總地下室七彎八拐像個迷魂陣。出來後，我們站在門外等計程車，我問他：「你知道核磁共振儀在哪個方向嗎？」他毫不遲疑的說：「在噴水池下。」我非常驚駭。當初的確是爲了怕汽車振動力過大，特意把儀器放到噴水池下，因爲沒有汽車會經過池塘。我的孩子沒有任何過人之處，他是屬於後段班。不過他愛打電玩。所以，與其把電玩看成洪水猛獸，不如訓練孩子自制力，允許他玩，只要他把功課做完，尊重他，讓他學習經營自己時間的能力。

在這個多元化的社會，我們應該培養孩子多元化的能力。行行出狀元，只有出了學校以後的表現，才是眞正蓋棺論定的表現。（《遠見》雜誌，二〇〇二年一月）

3 母愛的實驗

立法院最近想用立法的方式強制執行孝道。這樣的做法是否有效我不知道，因爲法律只能規範權利、義務，無法使人「誠於中，形於外」（孔子不是說「不敬何以別乎」嗎？）。最近科學上的一些研究成果，對母性倒是有更進一步的了解。

有一個研究發現，那些小時候常被母親舔的小老鼠長大後也是個好母親，也會去舔牠的孩子，牠們大腦對雌激素（estrogen）比較敏感，雌激素會增加老鼠腦中催產素（Oxytocin，又叫激乳素）感受體的數量。出生六天的小老鼠，大腦中催產素會因母親的舔撫而增加。催產素對哺乳類動物的性行爲與社會行爲都有關係，如果把藥物打進母鼠大腦，使催產素感受體不能作用，那麼一隻原來非常關心子女的好媽媽，會因此而對自己的孩子不理不睬。很重要的一點是，雖然雌激素會增加催產素，但是只有從小就享受到母愛的老鼠才會大量的增加。

母親溫柔的照顧會改變大腦對雌激素的敏感度。不過一隻被生母忽略的小鼠，如果幸運的有一個愛護牠的養母，那麼牠長大後也會是一個好媽媽，在育兒上，牠與養母相似而與生母不相似。

另一個研究則是發現一一四名早產兒中，母親抱孩子的時間、撫摸的方式，是兩年後孩子情緒發展和社交行爲的重要因素。那些被父母忽略的早產兒雖然也存活下來了，但是到兩歲作測驗時有焦慮和退縮的不正常現象出現。

其實從猴子身上，我們很早就知道「有奶便是娘」這句話是不正確的：孩子要求的不只是溫飽而已。科學家將小猴子一出生便與牠的母親隔離，單獨在實驗室長大，他給予小猴子一個絨布做的媽媽和一個鐵絲網做的媽媽。絨布媽媽溫暖，但鐵絲網媽媽身上有奶瓶。他發現小猴子所有的時間都黏在絨布媽媽的身上，只有肚子餓時才去鐵絲網母親那兒吃奶，一吃飽又立刻回到絨布媽媽懷裡。冰冷母親身上的奶瓶並不能吸引小猴子多留一分鐘，溫暖、安全感才是孩子最渴望的。

這個實驗最重要的是第二部分：那些被隔離長大的小猴子，後來情緒發展和性行爲都不正常，牠們無法正常交配。當以人工授精的方式使牠們產生下一代時，牠們竟然會把親生孩子虐待致死，令科學家震驚不已。科學讓我們看到所謂的天性其實有大腦的機制在內，先天

（基因決定的大腦結構）和後天（經驗形成的神經迴路）緊密的交互作用，產生了我們所看到的心智和行爲。

最近更有好幾篇論文一致的指出，過去將先天和後天對立的看法是錯誤的，先天和後天是相輔相成的交互作用。現在科學界已將「對立」（versus）的觀念改爲「經由」（via）了——即先天的基因決定大腦的結構，後天的經驗可以改變這個結構；結構固然決定行爲，但是行爲也可以反過來改變結構，它們不再是對立的、有你無我的，而是並存的、相互影響的。

中國人說種瓜得瓜，種豆得豆，或許父母不要只是拚命賺錢以提昇生活物質的享受，應該把時間精力花在孩子身上，給他溫暖和安全感，培養他健全的人格。密西根兒童醫院的柴加尼（Harry Chagani）醫師一直認爲兒童情緒發展的大腦敏感期很短，神經發展的窗口很快就關上了；一旦關上後，補救困難。

山珍海味只是穿腸過，但情緒的正常發展會影響他一輩子。在演化上，只有後代子孫的成功才是你眞正的成功，我們不要捨本逐末，忘記生命的眞正意義。（《遠見》雜誌，二〇〇二年二月）

4 聰明人腦系統醒得早？

有人拿了一份補習班的宣傳品給我看，令我非常吃驚。上面寫道：「愈聰明的人，記憶形成得愈早，那些智商超過一八〇的天才兒童都記得一歲以前的事情，有個天才兒童記得他胎兒期的事，這表示愈聰明的腦愈早成熟，有智慧的腦系統比他同年齡的孩子『醒來得早』……。」這段話完全沒有任何一點科學根據，在神經科學上，從來沒有任何證據說聰明的人早期的記憶比較好。事實上，我們很難記得三歲以前的事情，因爲大腦中處理記憶的海馬迴（hippocampus）尚未發展完成，這是爲什麼我們有「童年失憶症」的緣故（佛洛伊德〔Sigmund Freud〕看到這個現象，給了它這個名字，但是當時的科學還不了解海馬迴的功能，因此佛洛伊德的解釋是不對的）。我們一般要到三、四歲才會對童年生活有所記憶。除非對某件事有很強烈的情緒成分（驚嚇、恐慌、哀傷等），例如目睹新生戲院大火、九二一地震，不然，童年的生活似流水般逝去，不會留下什麼痕跡。

記憶的確與智慧有關，因爲各種測驗都要用到記憶，但是眞正的智慧不是訓練或補習班可以補強的。大腦的早熟也會使智慧早開竅，在生理發展上女生比男生成熟得早，所以小學的班長常是女生。但是大腦的早熟與以後的成就沒有一定的關係。我們不是有個成語叫「大器晚成」嗎？更何況成功的必要條件並不是聰明，而是毅力。一個成功的人不一定最聰明，卻一定是最有毅力的人，因爲一分天才，九分努力。從古今中外這麼多成功人物看來，成功的條件不在聰明智慧而在人格特質，聰明只是使這條路好走一點而已。

曾得過諾貝爾物理獎的理察・費曼（Richard P. Feynman，他的傳記《別鬧了，費曼先生》在台灣很暢銷）在領完獎後特地繞道紐約，到他當年念書的中學探望母校師生。當他發現自己的智力測驗成績只有一二四時，非常得意的說：「只有一二四我也拿到了諾貝爾獎！」（一二四已超過資優的標準，但比起其他一三〇以上的資優生是稍遜些。）他的成功主要來自毅力，碰到難題會鍥而不捨的堅持下去。他的聰明只是使他在學術這條路上走得輕鬆一點而已。沒有努力，不論再聰明也不會有收穫的。

現在的父母拚命賺錢讓孩子上才藝班、補習班，要讓孩子的智慧發展得更好，卻忽略品德的培養與情操——這些正是我們所謂的人格特質——的提昇。沒有這個條件，再聰明的孩子也不會成功，我們不是也有個成語叫「聰明反被聰明誤」嗎？

這種不科學的說法到處可見而且深入人心，隨便翻開報紙就可以看到一大堆不科學的事情發生在我們日常生活之中。最近，政府作莊，全民樂透，有人溜班回家，沐浴更衣，從裡到外換上神明指定的顏色，某個吉時，從東南方去找簽注站。乍聽之下，你會以爲你活在中古世紀民智未開的時代，不是在人類登上月球、科學家在實驗室複製人的二十一世紀。更離譜的是，這些竟是受過大學教育的知識分子。

另一個不可思議的事是坊間流行指紋測腦紋，將孩子的十個手指紋輸入電腦，電腦就會分析孩子的腦紋，預測他將來有多聰明，可以念幾個博士。出得起這個大價錢的父母，也都是高級知識分子。但是，我們應該知道指紋和腦紋是沒有任何關係的（除了兩者皆爲獨一無二），假如這個孩子少一根手指頭，難道他大腦也少一塊嗎？

台灣推行科學教育已經幾十年了，看起來我們還有很遠的路要走。（《遠見》雜誌，二○○二年三月）

5 接納各種可能性

前幾天，在政大和陽明大學學術合作的晚宴上，聽到兩方教授所討論可以讓學生互選的課程名單，心中很是感動。以前絕對不會想到一個以文、法爲主的學校和一個以醫學生物科技爲主的學校會找到共同點聯合起來上課，但是時代的改變，使生物科技的規範需要許多法律的知識，而一個好的法律應該跟得上時代的腳步，不應該阻擋社會的進步，因此，法律和生物科技這兩個看起來不相干的領域，就突然變成互爲表裡的一體了。

十年前，如果陽明與政大的學生要一齊上課，只要想到那「天南地北」的空間距離，就會直覺的認爲不可能，但如今捷運的通車使得木柵和石牌的空間距離縮短，這個原來「不可能」的事情現在不但變成「可能」並且事實上「可行」了。在這裡，我們看到許多過去認爲不可能的事情，大環境一變，立刻就變成可能。因此，做爲這個世紀的人，最重要就是如何保持開放的胸襟，使自己馬上能看到新可能性的出現。

人很容易落入自己思想的窠臼中，一旦習慣成自然後，即便有新的可能性也看不到。這就是爲什麼有創造力的人常常是年輕沒有什麼經驗的小伙子，因爲經驗固然使我們「駕輕就熟」，減少大腦能量的消耗，但也使我們的心態固定，減少彈性。這種所謂「老人的固執」或「老狗不能學新把戲」，其實是有大腦神經機制上的原因，我們的心智（包括記憶、語言、思考）其實都是幾千萬個神經元（neuron）聯結所形成的神經迴路，一個長期使用的神經迴路，每個神經接觸點的聯結已經牢固了，不易鬆開再去和別的相連；但是一個尚未完全固定的接頭，就很容易接受別的邀約。

所謂「創造發明」是兩個不相干的東西放在一起找出一個新的用途，在神經上就是兩個不同的神經迴路接在一起，形成第三個新的迴路（成語「激起火花」，或是卡通畫一個人頭上有個電燈泡在發光，其實是很傳神的）。在過去，新進人員的錄用都是以智力測驗和學校成績爲準，後來發現很會考試的人往往聯想力和創造力不高，因此，現在有些公司改用聯想力的測驗，給你三個字，請你說出一個和這三個字都有關的字來（例如 base, snow 和 dance，它們共同的字是 ball）。他們發現技術可以訓練，知識可以學習，但是聯想力沒有辦法教，必須靠平時累積的知識背景幫助神經之間的連接，使一條神經迴路的啓動能帶動其他與它連接的迴路，從而產生新的念頭。所以保持開放的胸襟，不劃地自限，在二十一世紀的今天是非常重要的。

「蘇武牧羊」中，匈奴的條件是「牴羊未乳不得生隨漢使歸」。現在科技的進步，牝鷄司晨已經做到了（打雄性荷爾蒙進去，母鷄就會啼），說不定有一天眞的可以使公羊懷孕，讓蘇武可以回家。這是一個沒有什麼是不可能的世紀，全看你如何創造出自己的天地。（《遠見》雜誌，二〇〇二年四月）

6 人才哪是可以管制的！

最近去美國開會，發現加州矽谷的街上到處都是穿著沙龍的印度人，街角也增加了許多印度餐館，彷彿置身新德里。一問之下，原來美國開放高科技人才進口，各國人才蜂擁而至，印度的電腦軟體工夫一流，因此，現在在矽谷就常常會聽到印度腔的英文，令人有「地球村」的感覺。

想不到，在回程的飛機上，看到報載政府要列管高科技人才。爲了有效管理科技外流，保護國家高科技，國科會正在草擬「國家科技保護法」與「台灣地區特定高科技人員進入大陸地區任職許可辦法」，想用法律管制技術與人才的流動，看了簡直不相信自己的眼睛。二十一世紀最重要的資源不是自然資源而人力資源，所謂人力資源就是腦力，就是人才。這是爲什麼德國、荷蘭、新加坡都紛紛以最惠等待遇吸引別國的優秀人才，給予高薪、居留權、工作證來「搶」人，而我們台灣的新政府卻關起門來用「忠誠度」、「愛台灣」等大帽子來「趕」人，眞是匪夷所思。

CoCo畫了一幅漫畫，綠島上有個監獄，上面有警衛站崗，監獄上寫著「管訓流氓」，旁邊畫個台灣島，島上也有個監獄，上面也有衛兵站崗，只不過台灣的監獄寫的是「管制高科技人才」，飄的是國科會旗，裡面傳出犯人的咒罵聲：「＊@＊！都是讀書惹的禍！」

好個「都是讀書惹的禍」，過去綠島關的是政治犯、是思想犯，那確是讀書惹的禍。想不到現在民主了，讀書一樣惹禍，書讀得愈多，行動愈不自由，出國要領許可證，恐怕還得派個公安跟蹤，以免跳機，投奔落後國家或在機場與第三國家秘密接觸，這倒車眞是開得不可思議。科技的內涵如果用法律條文就能綁住的話，這個科技也就不夠高科技了。

知識的創造一定要在自由的環境之下，而這個自由的定義是非常主觀的，也就是說，不一定是有形的束縛才算剝奪自由，無形的限制，如軟禁，也是剝奪自由的一種。渴望自由是人基本需求之一，我們平日並不感到它的存在，然而一旦失去自由，這種渴望就會出現，會不計一切後果的想辦法逃走。最糟糕的是，它會使一些本來不想走的人急忙出走，以免以後走不掉。其實，「人往高處走，水往低處流」是社會的常態，與其把時間花在限制高科技的出走上，不如反省自己。如果「楚材晉用」是世界的潮流，那麼我們的心態應該是如何把自己建設得比「晉」更好，將別國的人才吸引過來爲自己效勞，而不是關起門來「向下看齊」。

許多事情其實是一念之差，全看自己怎麼想。報載有個人買了240公分的木板要鋸成24公分的木塊做花架，但是付完錢後才發現DIY公司規定不可以鋸短於30公分的木板。在走投無路、正要放棄那塊木板時，他突然靈機一動，要求店家鋸成216公分的木塊，由於超過30公分，店家自然不能拒絕。然後他接著說：「現在給我鋸192公分……」直到每一塊木板都是24公分爲止。藉由逆向思考，他達到了他的目的，也沒有違反公司的規定。一件事情可以有許多不同的思考方式，只要不陷入意識形態，兩全其美的方式多得是，看你有沒有智慧而已。

（《遠見》雜誌，二〇〇二年五月）

7 寶島的寶藏

一位過去說他沒有時間來台演講的外國教授，突然來信說他可以在暑假時來台灣作一場演講，原來他賞鳥協會的朋友告訴他說台灣有四百五十八種鳥，其中有一百一十二種是只有台灣才看得到的稀有鳥類，因此，他願意來台演講，順道賞鳥。看了他的信，我很感慨，我們手邊有許多大自然的寶藏，是別人求之不可得的東西，但是自己都不知道，隨便烤來吃。我順口問了一下旁邊的研究生，台灣在生物多樣性上有哪特殊的地方，想不到，這些在台灣土生土長的孩子都抓頭搔耳說不出來。其實我們台灣有非常多的珊瑚、蕨類、花卉、昆蟲品種是其他地方沒有的，是珍貴的世界資產。

台灣在第四紀冰河時期沒有被冰河覆蓋，所以有許多古老的物種遺留下來，加上它是婆羅洲神山以東最高的山，所以在台灣可以同時看到熱帶、溫帶、寒帶的植物，是世界少有的景觀。我們的蕨類密度世界第一，全世界蕨類共分三十九科，台灣就有三十四科，是種類最多的國家之一，只是我們都不知道而已。因爲不知道它的價值，便不懂得珍惜，隨便採來、捕來、砍來、烤來糟踏掉，當然更不會利用這些資源發展觀光業。我們知道各國都在盡量發展無煙囪工業，因爲它既可以保護環境，又可以兼顧民生。對台灣來說，它還可以增加我們的國際知名度，我敢說打造台灣是大自然仙境所得到的國際效益，絕對比經援馬其頓三億美元來得長久。

但是台灣現在的問題不只是了解自己擁有的寶藏，還急切需要提昇全民的人文素養，因爲紅花還需綠葉襯，要吸引觀光客進來，我們必須有其他周邊的配套措施。我們自稱是五千年的文明古國，但是處處看到的是不文明的現象，很多風景區整頓得俗不可耐，我們的鄉鎮已經失去它的獨特性，每一個城鎮看起來都一樣，不看地圖不知到了哪裡。

有人擔心開路就會破壞生態，並使原住民文化消失。關於這點，澳洲的大堡礁是個很好的例子。二次世界大戰後，澳洲東北部居民本來要用黃色炸藥把附近海域的珊瑚礁炸掉，因爲大片的珊瑚礁妨礙商船進港，無法繁榮經濟。幸好當時的市長有遠見，了解自己手上是世界上少有的海底奇觀，於是力排衆議，用買炸藥的錢建機場，用飛機將觀光客帶進來後，乘船出去潛水，一覽五彩繽紛的海底世界。結果成爲澳洲最有名的觀光賣點，不但保留了珊瑚礁，而且名揚國際，讓人們一聽到澳洲就想到大堡礁。

或許我們可以借鏡大堡礁的故事，也換一個方式把觀光客帶進來，利用大眾運輸工具減少廢氣造成的空氣污染，把開公路的龐大經費用來建設當地的觀光設施，這樣不要拚命開高速公路（如北宜），提升鐵路的品質，使人來車不來，就不會犧牲祖先留給我們的好山好水，這才是愛護這塊土地的人所該做的事。（《遠見》雜誌，二〇〇二年七月）

8 最有意義的花錢法

二〇〇二年夏天，我隨著美國科技教育協會的人員去了藏族自治區及新疆維吾爾小學，看看認養鄉村圖書館十年來的成績。這協會是一個非營利組織，發起人喬龍慶博士是政大教育系畢業，一九六〇年代到美國讀書，拿到學位後在美國教育部做事，因業務關係，常去第三世界國家訪問。她看到貧苦地區衣食不濟，我們一頓飯的錢窮人可以過一年，很想捐些錢改善他們的生活。但是救急不救窮，「給他魚，不如教他釣魚」，要改善他們的生活只有從教育做起，受了教育就有了往上爬、脫離貧窮的階梯。所以她發起認養貧苦鄉村的圖書館，捐錢給偏遠地區小學買書。這個基金會同時也捐獎學金，讓貧苦的孩子可以上學。

這件事他們默默做了十年，現在開始有了成效。因為我對語言有興趣，所以邀我一起去少數民族地區參觀。

我想我一輩子沒有這麼感動過，我沒有想到一人捐區區幾百元就能發揮這麼大的作用。在這次參觀中，我見識到閱讀的功效，也看到知識的力量。我們先去甘肅省天祝縣藏族自治區抓喜秀龍鄉的小學參觀，車子在一望無際的高原上顛簸，看到的是零散的矮小泥土屋，沒有經濟作物，地方的貧困可想而知。車停了，一群穿著藏族衣服的小朋友跑出來歡迎我們，在學校最堂皇的一間屋子，我看到「田家炳先生認養圖書館」的名牌，裡面的書都被小心翼翼的包上書皮，惟恐弄髒。圖書館的設立改變了該地基本上無書可讀的狀況，老師從書中吸取新知識，改良原有的教學，更重要的是書拓廣了老師的視野，提昇了老師的境界。師資一進步，孩子也跟著受惠。學生也從閱讀中大大地增進他們的詞彙，提高了作文的能力，在全國性的徵文比賽中，有二位小朋友得到傑出獎，八位得到佳作獎。在這偏遠貧困地區，這是多麼不容易的事。

這也讓我深深感到閱讀是教育的根本，政府不必浪費錢在文宣活動或請學者研究閱讀有沒有效的這類研究計畫上，把錢省下來給學生買書是最實際的。這些孩子沒有乒乓球桌，一塊石板，上面用四塊磚頭隔開就是乒乓球桌了。有位小姑娘說她很想讀書，但是無力升學，本來已經放棄了，想不到突然接到通知，有人願提供獎學金，令她喜出望外，抱著母親流下眼淚，她的父親對我們說：「你們救助的是一個稚氣未脫的孩子，點燃的卻是我們家鄉希望的火種。」

我父親生在新加坡，他說在南洋大家最敬重的是陳嘉庚，因爲他捐錢蓋了集美中學和廈門大學，嘉惠無數華僑子弟，他自己是其中之一。陳嘉庚的名言是：「錢自我辛苦而得來，亦當我慷慨而捐出。」會用錢，錢才有意義，在那天藏族孩子的臉上，我看到最有意義的花錢方法。（《遠見》雜誌，二〇〇二年九月）

9 人不是理性的動物

二〇〇二年的諾貝爾經濟獎頒給心理學家康納曼（Daniel Kaneman），讓心理學界十分興奮，因爲心理學一向被看成「軟」科學，不像物理化學那種「硬」科學，相同的程序就一定會得到相同的結果。人的變數太大，常不按牌理出牌，使行爲不可測，以致有「墨非定律」（Murphy's law）出現（即有出錯的可能就可能會出錯）。

康納曼最大的貢獻是找出人們做決定的可能策略，及影響這些策略的相關因素。他讓我們看到人在下決策時是不理性的，不會利用已知的或然率做判斷，常被自己過去經驗形成的偏見左右。例如，在一個實驗中，他先給受試者看一段有關某位男士的描述（保守、謹慎、一絲不苟、對政治、社會問題沒興趣），然後，讓受試者判斷從一個有三十個工程師及七十個律師的俱樂部中抽取到這個人的機率有多少，結果受試者都高估了這個機率（九〇％），因爲上述的描寫與他們心目中工程師刻板印象相符，而忽略了基本機率只有三〇%。

股票經紀人在預測隔天股市上升的機率時，也受到腦海中立即浮現記憶的影響，一個腦海中尚有股市上升鮮明記號的人會高估上揚的機率。康納曼問受試者，R出現在英文字第一個字母位置的機率是否會比第三個位置的機率高？約有三分之二的受試者會回答「是」，因爲字典是按頭一個字母排列，他腦海中一下子就浮現很多R開頭的字，因此就認爲第一個位置的較多，其實正好相反。

他又發現問題的方式會影響人們的決策，他請受試者選擇在六百人的社區中，防疫計畫A可以拯救兩百人的性命，防疫計畫B則會使三分之二人死亡，哪一個計畫好？結果，七二%受試者選A——雖然結果都一樣。但如果把問題寫成A計畫會有四百人死亡，B計畫三分之二人死亡時，又有七八%受試者選B。表示人們喜歡獲益（gain），不喜歡損失（loss）。這個發現對商業廣告及法庭上證人證詞的詢問方式都有很大的影響。他更發現人在找證據時，偏好找支持他想法的證據。對不支持的證據會「選擇性的忽略」，最近發生的舔耳案就是一個例子。

所以，人眞的不是個理性的動物，常落入自己所設的陷阱中。最近哈佛的實驗甚至發現人不及猴子，猴子在發現刺激有八〇%的機會出現在右上角後，牠會集中注意到右上角以得到最大報酬，而人卻會爲了錯誤的機率概念（即A已出現三次，下次應該是B了），而表現得不及猴子。雖然，我們在大腦中看到從理性所在地的額葉（frontal lobe）到感性所在地邊緣系統（limbic system）的神經迴路是條小路，而從感性往理性的神經迴路是條大路，但這個生理證據不及康納曼一個簡單的實驗具有說服力。

康納曼的得獎，其實代表著科際整合的時代已經來臨。目前國內有許多研究所還是堅持「非本科系不得報考」的規則，使我們的學術一直在原來的小圈圈中打滾，掙脫不出舊有的窠臼。科學的建構需要在共同的邏輯下形成系統化的知識，從不同的角度看相同的行爲，我們不知什麼時候才能拋棄門戶之見，敞開心胸接納不同領域的人，同爲同一目標而努力。

（《遠見》雜誌，二〇〇二年十一月）

10 四海一家人

最近，遺傳學家韋爾斯（Spencer Wells）選擇台灣作爲他新書《人．基因碼之旅》的首站發表會。本來被選爲首站新書發表應該是一件很光榮的事情，但是細看他的理由卻令人很汗顏，原來他發現台灣每次選舉時都把省籍族群拿出來炒作，他覺得十分的愚蠢，因爲人類都是源自東非，強調種族沒有意義，打省籍牌的政客需要再教育。

看了這份報導，心中很有同感，現在科學的進步，使得過去看起來八竿子打不到一起的學科如考古人類學、地質學、遺傳學、分子生物學、語言學都聯到一起了，而且牽一髮而動全身，彼此息息相關。例如分子生物學中化石ＤＮＡ的淬取或粒線體ＤＮＡ的比對，就直接影響到考古人類學的推論；語言學的語系樹狀圖也間接印證人種分布途徑。最近在中、印、巴三國交界的喀喇崑崙山中發現有一族金髮碧眼白膚的居民，唱的是希臘的民謠，跳的是希臘的土風舞，傳說是亞歷山大大帝（Alexander the Great）東征時留下的希臘人後裔，後來經過DNA的比對，果然他們與巴斯克人的血源比和巴基斯坦人近，很可能是當年士兵的後代。過去，我們對流浪於歐洲的吉卜賽人感到非常的好奇，不知他們是怎麼來的，爲什麼會像無根的一代，到處飄流，四海爲家，現在經過DNA的比對和語言源頭的追溯，發現他們是三千年前波斯王大流士（Darius）征服印度時帶回去勞軍的印度北部部落的人民，難怪吉卜賽人有歌舞的天才，原來他們的祖先就是因爲這種才能而被選上的。

靠基因比對和電腦模擬的方式，現在我們知道，一個人種，如果每個世代有五%的基因流入，三百年後，它原來的基因只剩七〇%，一千後，原來的基因只剩一〇%。美國的黑人現在就面臨這個問題，因爲他們雖然被販到美洲作奴隸不過三百年的歷史，可是他們身上已有三〇%是白人的基因了。因此，以現在交通的方便，人類交流的迅速，種族通婚的普遍，一千年後，世界人種的基因都差不多相似了。現在已沒有純種的某一洲人，連希特勒（Adolf Hitler）強力主張的亞利安人都被驗出來是六五%亞洲血統、三五%非洲血統，我們怎麼還在這裡打族群牌、省籍牌，以出生地來造成族群對立呢？

知識的力量在於幫助我們不受政客的愚弄，人種的分際就會像現在學科的分界一樣，好比是沙灘上畫的線，浪潮一來就無影無踪了。還在強調族群分野的人，會被時代的巨浪所淘汰，貽笑大方。我們現知道人類大約是三百五十萬年前起源於東非，二百萬年前開始從非洲遷徙，我們的祖先是大約十萬年前從非洲出走，經過亞洲往外擴散，三萬年前左右從白令地峽進入美洲。因此，我們身上都有非洲人的基因，全世界的人都源自同一地方，可以說是一家人。因此，未來的認同會從種族認同、地緣認同轉爲文化的認同，演化到後來的差異會變成文化上的差異和語言上的差異，而不再是種族上的差異。

用族群的優越感或仇恨來獲取政治利益是數典忘祖的，我們的祖先在形體消失千百萬年之後，憑著子孫的科技、智慧，重新追溯出他們當年的足跡。祖先胼手胝足的替我們開創了一個安身立命的空間，如果我們不能把這個空間平安傳到下一代的手中，眞是有愧先人的使命。「永續發展」不再是個口號，它是存在於你我血液中的使命。（《遠見》雜誌，二〇〇二年十二月）

11 怪力亂神不敵科學

人的大腦有將外界事件合理化的傾向，一件事若是沒有合理的解釋，會一直縈繞心中，無法釋懷。許多命案得以偵破，就是因爲辦案的警探對某一環節覺得「不合理」，使他一直追究到水落石出爲止。這個合理化的需求也是許多民族的神話、宗教儀式的來源，尤其是後者，因爲人類對自然界的不了解，所以古老的民族都有祭祀的儀式，以供品換取上天保祐。這些宗教儀式多半是重複性動作，佐以有節奏的鼓聲或單調的說話式唱歌（chanting），這些重複的節奏會帶來心境的平靜與喜悅，因此宗教成爲心靈的寄託。

但是科學進步到二十一世紀的現在，我們已經知道外界變化如地震等天災的成因，也知道內心感受（如天人合一或靈魂出竅）的神經機制。因此過去的迷信就只能作爲民俗，不能作爲信仰，尤其政治人物不能公開支持怪力亂神，因他們的身分有爲民楷模、以身作則的功能

（縣市長爲父母官，有上行下效的力量）。

最近腦造影及大腦誘發電位的研究發現，重複的規律性動作和聲音與大腦掌管情緒的邊緣系統有關係，可以激發或壓抑大腦皮質（cerebral cortex）的活化。這個實驗是先將受試者的靜脈導管插好，手指纏有釣魚的尼龍線（線的另一端在實驗者的手中），受試者於是開始坐禪或祈禱。當他打坐到某個程度，感到靈魂出竅、從空中俯視自己時，便拉動釣魚線，讓實驗者知道已進入某個事先約定的境界。實驗者便立刻將放射性的水打入受試者的體內，將受試者推去作大腦的掃瞄。實驗結果顯示，當打坐進入天人合一的忘我、無我境界時，大腦頂葉（parietal lobe）後端的神經元是比較不活動的（underactive）。

我們大腦邊緣系統中的海馬迴專司大腦的平衡，當神經活動太頻繁時，它會控制閘門，使進入皮質各個區域的訊息量減少，大腦在訊息量不夠時，會「反求諸己」，就現有的訊息作最合理的解釋。由於頂葉是掌管自己與外界空間定位的地方，因此，頂葉後端活化不足時，會產生靈魂出竅與身體分離的感覺。顳葉（temporal lobe）是掌管物體辨識的地方，該處活化不足時會看到幻象或神蹟。現有很多的證據顯示，重複的規律動作會引發大腦的活動，我們於是看到輕拍嬰兒會使嬰兒入睡，有節奏的搖動也會使嬰兒停止哭泣，安靜下來，自閉症（autism）或一些神經上有病變的孩子，常會不停的前後搖晃以維持他大腦內的平衡。很多過去不了解的行爲，透過腦科學的研究，現在可以腦造影中看到產生這些行爲的原因了。

宗教預言家常用「有誠則靈」爲自己脫身。這句話非常的不科學，它其實一語道破宗教預言的機關——先要有誠心、有信仰才會有效；而既然有信仰，原本是隨機發生之事也就自己對號入座，以爲是神力了。

袁世凱在做大總統時，有一次午睡翻身，驚嚇到捧茶進來的書僮，將他心愛的古董茶杯打破了，引起袁世凱大怒。書僮深知袁世凱的心事，便立刻跪下說因爲看到床柱上盤著一條巨龍，心中一驚便失手打碎茶碗。袁氏本想做皇帝，一聽此說便轉怒爲喜，認爲自己是眞命天子，因此積極籌備洪憲帝國。但是歷史證明沒有眞命天子這回事，他只做了八十三天的皇帝，還沒有分封完畢，帝國就結束了。這種「兩岸統一，第一任總統是某人」或是「看到某人在天安門演講」的景象，其實可以以袁世凱爲前車之鑑。

科學的目的是解釋自然界的現象，使其有合理的歸依，從而將宇宙的主宰自神轉到人，讓人們知道種瓜得瓜，種豆得豆，爲自己的行爲負責。我們中國人理性薄弱，連知識分子都不例外，所以就是非不明，錯誤都是別人的，而把自己前後矛盾的言語合理化爲「換了位置，就要換個腦袋」。誠如某立委質詢某部長，「讀書讀到背上去了」，眞是令人擲筆三嘆，徒呼奈何！（《遠見》雜誌，二〇〇三年一月）

12 建立閱讀習慣，培育未來公民

二十一世紀未來公民必備的一個條件是世界觀。資訊的快速傳遞，歐盟的形成，跨國公司的設立，以及各經濟體紛紛加入WTO，都使得國與國的疆界逐漸消失，整個世界變成地球村。因此，我們的未來公民必須具備國際觀，才能與外面世界的文明同步成長。

要達到這個目的只有兩個方法：經驗與閱讀。經驗是達到學習最好的方法，因爲它促使神經的連接；但是經驗要靠時間換取，而人的壽命有限。因此，想要在有限的時間內獲得最大的經驗，就必須快速將別人的經驗內化成自己的。而吸收別人經驗最好的方式便是閱讀，因爲它超越時空的限制，只要一書在手，不論這個經驗是發生在何時、何地，都能依你自己的速度處理它。

我們從實驗得知每個人處理訊息的速度不一樣，只有閱讀可以依個人大腦處理速度調整訊息的進入；也就是說，書本上的字不會像外界訊息那樣瞬間改變，它可以依照你閱讀的速度吸收，是最佳的主動學習歷程。眼動儀的實驗證明了這一點：我們的眼睛在遇到語意模稜兩可的字時會停頓下來，眼球來回搜索，想從前面的文句脈絡中尋求最恰當的字義作解釋。這種主動行為在看電視時做不到，因為電視是每秒二十四張畫面，眼球無法控制它呈現的速度；遇到困難處時，眼球也無法回去搜索前面的畫面，除非倒片。

從認知心理學實驗也得知，人在接受外界訊息時，大腦會不斷地根據自己過去的經驗，對該訊息做最合理的解釋。這個大腦的自動化歷程會決定我們對後面進來訊息的詮釋，形成我們的概念。而知識只有在形成系統後才能保存長久，沒有系統化的知識，是來得快去得也快，沒有理解的背誦不能長久，道理就在此。所以雖然諺語謂：「一張圖片勝過一千字的描述」，但是要真正了解一個新領域，必須一個字一個字的閱讀，讓大腦有時間將進來的新知識與舊的背景架構掛上勾、連上線，還得不斷的在不同的情境下讀到這個主題，才能形成有實際效益的知識，變成下次吸收新知識的背景架構。

這個歷程無法縮短，必須按部就班打根基，完全無法取巧，而且只有在背景知識很精熟之後才可能觸類旁通。了解這點，我們就明白為什麼多媒體教學始終是個輔助教學，無法取代閱讀，它的確可以引起學生興趣，經由多感覺管道將訊息帶給學生，但是要奠定基礎必須靠閱讀，因爲資料不等於知識，內化了的資料才是自己的知識。現代社會因科技訊息翻新太快，瞬間成歷史，使得孩子必須不斷閱讀才能趕得上時代的要求，網路上的訊息又太多，除非有組織能力與邏輯性思考能力，否則無從取捨。而閱讀正是培養邏輯推理最好的方式，因此，未來的公民必須靠寬廣的背景知識作爲吸收新知識的鷹架，幫助他適應新世紀的挑戰。

我國學生因升學主義掛帥，不考的就不念，沒有閱讀課外書的習慣，因此在背景知識上遜人一籌，這一點非常令人憂心。現在很多人將所有責任推給學校，其實教育下一代人人有責，學制不能拿來作爲學生知識不足的藉口。馬克・吐溫（Mark Twain）說：「我不會讓學校阻擾我的教育。」（I would never let school interfere with my education.）學習是靠自己，能突破桎梏的人才能有成就。在歲末新年度的開始，希望居廟堂者能了解背景知識的重要性，將閱讀列爲教育的重點，替未來的公民打下能與世界競爭的良好根基。（《遠見》雜誌，二〇〇三年二月）

13 有希望就不怕苦難

中國時報舉辦了一個「台灣，一字千金」的活動，請讀者以一個字描寫去年一年在台灣的生活感想，結果反應熱烈，在十二天中收到近二萬張明信片。想不到前五名竟是亂、苦、茫、憂、慘，令人怵目驚心，而且大多數選亂字者年齡在26～55歲之間。也就是說，社會的中堅分子對去年一年的總結只有一個字「亂」，因爲亂，所以苦、茫，看不見前途。

行政院主計處公布民國九十一年民生痛苦指數爲四・九七%，這是六年來的最高，僅次於南韓的五・八%（所謂痛苦指數是失業率及消費者物價指數上升率相加的總和）。過去的指數高是高在物價面，現在的高是失業率。這兩者對人心理層面的影響是不一樣的，失業率直接影響到健康，間接影響到社會成本。在醫學上，現在已知道如果一個人體內有致癌的傾向，那麼在失業後六個月他得癌症的機率比別人高，另外憂鬱症（depression）及自殺率的最高觸發原因也是失業。因此，失業率的背後還隱藏著醫療的社會成本，不可掉以輕心。

政治上的事我們無能爲力，但是我們可以從自己力量所及的地方改變這個逆勢，也就是說，調整自己的心態以面對這個惡勢。美國賓州大學（University of Pennsylvania）的心理學講座教授塞利格曼（Martin E. P. Seligman）一直呼籲人們不要老是著重心理疾病的治療，應該把重點放在心理疾病的預防，他把這叫做「正向心理學」——找出長處優點，培養信心使產生生命的希望。他主張教育不要強調改正錯誤，要找出每個人的優點，從優點上培養信心，有信心才會有希望，而希望是個緩衝器，可以抗壓，度過苦難。

我們看到選擇「樂」的人中有單親母親一天工作十六小時，白天替人打掃，晚上夜市擺攤，只因爲四個兒女可以讀書，令她看到希望。我們也看到一個人從好朋友處頂下美容院，想不到朋友賣了很多預售券，她本想不認帳，但是不認帳對用現金買券的人就吃虧了，她想到做生意的誠信，所以咬著牙做下去，結果客人受到感動，呼朋引伴地使她生意愈來愈好。這兩位了不起的平凡人都是看到希望，所以雖然生活辛苦，但是那是肉體的辛苦，心靈是平安的、快樂的。

所以塞利格曼提出一個得到眞正快樂的方法：從正向的情緒出發，找到生命的意義，這個意義會帶給你希望，而希望使你駛過人生的暗礁。他認爲正向情緒的根本是做人基本的美德，即智慧、勇氣、仁愛和正義，從美德出發才會找到生命的意義。難怪潘朵拉的盒子最後飛出來的是「希望」，有了希望前面所有的苦難都可以忍受。

但願每一個人都能在「亂」中找到他人生的希望。（《遠見》雜誌，二〇〇三年四月）

14 悲觀爲什麼沒有被演化淘汰？

張國榮自殺了，一個女生紅著眼睛來問我：他年輕英俊，又有九億的財產，爲什麼要自殺？我給她看一本有關憂鬱症的書，兩天後她來還書，問爲什麼這種毀滅性的疾病沒有被演化所淘汰？

這是一個很好的問題，假如悲觀是憂鬱症和自殺的根本核心，爲什麼悲觀的人還會留了下來？悲觀有什麼功能使演化偏好悲觀的人？

現有很多實驗顯示悲觀的人雖然比較悲傷，但也比較有智慧，他們可以正確的判斷自己的控制權，對不好事件的記憶比較正確，使自己以後不再犯同樣的錯誤。例如請受試者做一個實驗，實驗者控制實驗情境使他們做對二十次，做錯二十次，做完後問他們覺得做得怎麼樣。結果悲觀的人會告訴你他做對了二十次，但是樂觀的人常會誇大自己的成就，高估自己的主控力，他會告訴你他做對了二十八次，只有錯十二次。也就是說，沒有憂鬱症的人比較會扭曲外界事實以迎合自己，明明嫖妓得性病的機率是八分之一，他卻說不會是我，運氣沒那麼差；明明中樂透獎的機率是五百萬分之一，他卻說一定是我，把全部家當拿去賭。這點和我們想像的不一樣，眞的很令人吃驚。

從人類的歷史來說，我們的祖先活過冰河時期惡劣的氣候和災難，面對旱災、水災和飢荒，所以留下來的這些人很可能都是未雨綢繆的人，我們遺傳了祖先的腦，也遺傳到他們看事情只看黑暗面的特性。

悲觀對現代人最大的壞處是它會影響我們的免疫系統。證據顯示它不但影響心理健康，且已深入細胞層次，使免疫系統變爲被動，將免疫功能減低。但是它會被演化留下來，就表示這種特性在現代化社會中也不是全然無用的，一個公司的老闆必須是對現實世界有正確觀念的人，塞利格曼教授把這種人叫做「職業悲觀者」，這些人不是徹底悲觀，他們只是偏向於悲觀，做事謹愼小心而已，公司的掌舵人通常有這種性格，研究發現董事會的成員在測驗分數上偏向悲觀，他們平衡了企劃、市場行銷者的樂觀，使公司得以前進。事實上，人類一直是在這種樂觀－悲觀的矛盾中進化的。人類如果沒有樂觀的幻覺，我們怎麼可能生存得下去？春天播秧要到秋天才能收成，人沒有尖牙利齒，猛獁象比我們體積大這麼多倍，怎麼敢衝上去捕殺牠？如果沒有希望——認為現實其實比它實際更好的希望——驅使著，人不可能超越自己，活到現在。

知道了悲觀、樂觀都有演化上生存的理由，人就不應替自己的情緒找藉口，而是知道悲觀、樂觀都有其優缺點，就要想辦法發揮自己的優點，排解自己的弱點，使自己在這個人際關係疏離的現代社會中生存下來。憂鬱症很苦，有個患者對我說，發病時像是掉到無底的黑暗深淵，他說：「你們只會說萬丈深淵，我卻覺得比萬丈深淵更深一萬倍。」但願張國榮是最後一個用自己的手結束生命的人。（《遠見》雜誌，二〇〇三年五月）

15 爲官無力就是有罪

我有一位朋友是著名的經濟學家，白天不出門，只有晚上才出來走動。問他爲什麼，他說夜幕是個障眼法，天一黑，所有的骯髒污穢都看不見。他苦笑著說，憂國憂民大半輩子，弄了個憂鬱症外加焦慮症，現在只好自己騙自己不要看。反正人生不滿百，兩腿一伸之後，缺陷還諸天地，管他債延子孫，每個嬰兒一出生，身上就揹著幾萬元的債務。當時很不以爲然，這次經過ＳＡＲＳ洗禮後，突然了解生活在現在的台灣，只有自己騙自己，日子才過得下去。

ＳＡＲＳ就像黑夜裡的照明彈，把過去我們不願看、不去想的問題，全都暴露出來。從口罩荒到基本學力測驗入學考試一天三變到犯罪零成長，我們才突然發現整個政府的表現是如此的無能，我們像在溫水裡煮的青蛙，已經不感到被騙了。

在爆發的這麼多問題中，最不可忍的是離島人民的不平等待遇。離島人一旦染病，求救無門，只有自生自滅。金門的陳女士在醫院門口的救護車上躺了一天一夜，硬是沒有辦法到台灣，最後在金門含恨而終；澎湖的黃姓夫婦也是沒有辦法到台灣，最後由軍艦運送，可憐病人在甲板上風吹日曬，折騰到高雄就過世了；另一個病人情形更過分，她是在行政院長信誓旦旦已做好「離島地區緊急防疫後送機制」之後才發病的，一樣沒有辦法到台灣就醫，甚至立法委員都出動了仍然無效。

一層層關卡，一個個官僚，回答都是「非職權所在」，最後電話打到內政部長，這個總管全國人民福祉者的家裡，他是既有職也有權的，想不到一句「天亮再說」就把電話掛了，不死心的立委想再打時，部長大人就寢了，電話打不進去，離島的小民只好聽天由命等天亮再說。在這口口聲聲公僕的時代，竟還有這種事？我看到這則消息時，腦海中浮起元末張養浩的〈山坡羊‧潼關懷古〉：「峰巒如聚，波濤如怒，山河表裡潼關路。望西都，意躊躇，傷心秦漢經行處。宮闕萬間都做了土。興，百姓苦！亡，百姓苦！」天地不仁，以百姓為芻狗，生為現代人，空有高科技，沒有好官吏，百姓一樣苦，離島人更苦。

清朝紀曉嵐在《閱微草堂筆記》中有一則：一官死後赴閻王處報到，因自居清官，不肯下跪，閻王喝叱道：「你雖無貪贓，為官亦無所為，凡事只求自保，為避嫌不挺身而出，不仗義執言，不主持公道，爲官無力就是有罪。」令左右打去烏紗帽，推入輪迴。

好個「爲官無力就是有罪」。有官守者，要挺身而出，爲民謀，不得其謀則去，不可以尸位素餐，等天亮再說，要知道「爾俸爾祿，民脂民膏」。金馬澎湖人民一樣交稅，一樣服兵役，當他們盡了國民的義務時，政府對他們的保障是什麼？我們能怪老師不願分發去離島嗎？「寧做台灣狗，莫作離島人」，生在離島的人啊！你是否也有這種感慨呢？（《遠見》雜誌，二〇〇三年七月）

16 民困而不知救

教育部國教司司長說：「最早的教育來自生活，父母是老師，家事即教材，不然課本教得再多，教出一堆生活白癡有何用？」這段話說得好，教育本來就不應該和生活脫節。但是就在司長說這句話的同時，我們看到內政部智慧財產局的官員，將民間傳統的綁魚法變成專利，要到民國一一〇年才解除，全省的漁會都收到律師的存證信函，要求不得使用此法，否則將追究法律責任。憤怒的漁民抬活魚到台北抗議公家斷了他們的生路，有漁民激動的說：「綁魚乾脆公投算了。」

民間生活的方式不能列爲專利管制。綁魚是世代相傳展示活魚的方法，我小時看過。市場上比較貴的魚都有用紅繩從魚鰓到魚尾綁成鯉魚躍龍門的方式，使魚在水桶中不會因爲彈跳碰撞而使魚鱗受傷，賣不到好價錢。這種綁魚法是先人的智慧，不能被捷足先登者登記成爲專利。官員說：「漁民有沒有侵權要經過法庭鑑定，不然有民事、刑事責任。」可憐漁民連溫飽都有問題，哪有工夫上法庭鑑定，更不用說請律師打官司了。

我想起小學時的國語課本「天這麼黑，風這麼大，爸爸捕魚去，爲什麼還不回來？」那些在冷氣房中的人有想到漁民的辛苦和看天吃飯的無奈嗎？官員大筆一揮，人民顛沛流離。一年五萬份申請案是很多，但這不是輕率過關的理由，不能說因爲「人手不夠，只能依照誠信原則，相信發明者有獨創性」就讓申請者過關。正因爲人不可能知道所有的事，所以專利審查設有審查人制度，邀請專家幫忙審查，集思廣益，以保護民衆的權益。不然什麼都可以提專利的話，傳統的染布法，醬油、酒、醋的釀造法、包粽子方法、草蓆草帽編織方法、剃頭法、綁鞋帶法是否都不可以做了呢？

一個社會最可貴的是文化遺產，它是父傳子、子傳孫，一脈相傳的一種生活方式，不可以被僥倖人士立爲專利，斷絕善良老百姓的生路。這件事點出我們高考及格的官員對傳統技能的無知與對弱勢人民的無情。官員一句「尋求法律方法，向智慧財產局提出舉發舉證，通過審查後便可以撤銷專利」就把責任推乾淨了，但是不出海就沒有飯吃的漁民有這個能耐上法庭打官司嗎？在等待專利撤銷的期間他們的生活呢？「飽漢不知餓漢飢」，一個三餐無慮的人是不會知道等米下鍋的痛苦的，雖然大家都知道到公家機關辦事要耐心、信心、恆心，三心不可少，但是人的肚皮是每天要吃飯的，當家無隔宿之糧時，耐心就變成傷心，信心變成痛心，恆心變成死心。

一個錯誤的判斷應該立刻改正，不可以要求漁民提出法律程序，因爲錯不在漁民。「民困而不知救，吏姦而不知禁」，我們監察院打老虎拍蒼蠅的柏台大人呢？（《遠見》雜誌，二〇〇三年九月）

17 有會大家開，有過大家攤

最近出國開會，順便想找一些新人加入我們的研究團隊，想不到我中意的人都不願意回國，除了認爲法令跟不上時代，使研究者綁手綁腳之外，其中一個理由竟然是台灣的會議太多，占去作研究的時間。回到旅館後，我靜下來想一想，會議的確多了些，在SARS時，許多會議都被取消，突然之間，每個人都覺得時間多了許多。有人說「日本人稅多，中國人會多」，仔細想來，此話不虛。很多會其實可以不開的，只要行政首長肯負責任，不要弄許多委員會去分攤責任，大家就可以節省很多時間。

委員會可以說是中國現代政治的精華，任何事，不論大小，都組個委員會，委員們的建議有沒有形成決議自己都不知道，但是最後通知書出去時，是某某委員會的圓章，將來追究責任，首長雙手一攤：「我不知道，這是委員會的決議，與我無關，我『尊重』委員會的決議。」把自己的職責立刻降到公僕地位，好像只是執行者而已。

但是委員會決議如果不符合「上面」的意思，那麼這個會就會一開再開，開到上面滿意爲止。反正委員會是個看不見、摸不著的東西，不像人是個有血有肉的形體，群衆可以追著打，只要是人的決定，冤有頭債有主，責任推不掉。委員會的妙用就像羅馬的凱撒大帝被刺時，一人一刀，每個人都有份，責任分攤了就沒有事。所以台灣的會就愈開愈多，人也愈來愈忙，生命也愈來愈虛擲了。

寫《圍城》的錢鍾書曾經對中國的會下過一個非常好的定義，他說：「邀些不三不四的閒人，談些不痛不癢的廢話，花些不明不白的冤錢。」中國的官員若是肯負責，我們也不會走到今天這個地步。很早以前，在美國博物館看到一塊長城的城磚，這塊磚二千年了，還完完整整，磚的背面刻有「某保某甲某里某戶製作，某某監製」，責任的歸屬刻得非常清楚，作壞了，不但製磚者要斬首，連監製者也連坐，所以在沒有鋼筋水泥的古代，一塊磚可以抵擋塞外風沙千百年而不壞，這是負責任的結果。外國的工匠也常在作品底部刻上自己的姓名縮寫，表示負責。這種對自己決策負責、爲自己作品感到驕傲的敬業精神，現在已經愈來愈看不到了。

街上鑼鼓喧天，又在抗爭。目前愈來愈多的自力救濟，難道不是這種肩膀無擔當、以會養會、責任分攤的結果?當我們遇事不知該找誰理論，如果不願無語問蒼天，就只好頭綁白布條上街頭，不然「委員會」怎麼會出面給你一個答覆呢?(《遠見》雜誌，二〇〇三年十一月)

第2篇

先天不足後天能補

1 挫折是常態，順利才意外

早上，一位教授怒氣沖沖的走進教員休息室，原來是他平常停車的位置被別人停了，心中不舒服。過一會兒，他發現茶葉罐空了，新買的茶葉卻不是他原來喜歡的牌子，他跳起來大聲對我說：「我今天怎麼這麼倒楣，事事都不順心。」我聽了默然。就生物界來說，生存是個機率，每一分鐘都可能出意外，挫折應該是常態，順利才是例外。人類是生物界的一份子，卻不這麼想，一有挫折便怨天尤人，忿忿不平，覺得天下人都對他不起。其實，一隻動物早上出去覓食時，都沒有把握今天可以平安的回到自己窩中，牠們都知道，一離開溫暖的巢穴，生死就在一線間，一不小心，自己就變成別人的晚餐。

我在加州大學讀書時，曾經去沙漠中捕捉像袋鼠一樣前腳短、後腳長的跳鼠（kangaroo rat），研究牠們食物熱量與體重之間的關係。我們捉住牠後，將牠下顎嗉囊中的食物掏出來分類並計算卡路里，結果發現這些跳鼠如果找到的是種子類蛋白質高的食物，牠的嗉囊就沒有塞得很滿；但是假如牠找到的是草類，熱量較低，嗉囊就會撐得很大，因爲要滿滿一囊才夠牠一天的消耗。牠們絕對不會吃飽了在外面玩耍，牠們甚至不敢在外面吃，是先全部塞到嗉囊中，回到安全的地方才敢慢慢享用。這種動物身體很小，不及我手掌大，牠的腦應該只有黃豆般大，卻知道生命充滿挑戰和變數，活過一天就是多贏了一天。

人類忝爲萬物之靈卻不會對生命感恩，稍不如意便吹鬍子瞪眼睛破口大罵，到處都是對現實不滿的暴戾之氣，完全忘了自己只是百代的過客，只在這個四十六億年久的地球上，占用極微少的一點時間享用它的資源。人的生命眞是比蜉蝣還短，我們在這個地球上的心態應該像個好客人，感激、敬愛你的東家，走時，揮揮衣袖，不帶走一片雲彩。如果了解到這一點，其實沒有什麼難關是過不了的，也沒有什麼心結是無解的。

很多人認爲演化生物學不重要，但是它讓我們了解自己的渺小，使我們不敢在大自然前自大、自滿。「萬里長城今猶在，不見當年秦始皇」，能看到這一點，或許暴力及憂鬱症會減少一點，社會會祥和很多。（《康健》雜誌，二〇〇一年十二月）

2 全民閱讀刻不容緩

最近立法院又上演口水戰。因為電視不斷的重播，在厭煩之際，不妨做一下這個實驗，好歹也從這個無聊事件中學一點知識。請你統計一下，在這口水之戰中，出現最多次的字是什麼字？你會發現最常出現的字是「我」，每十六個字中就有一個「我」，而「你」的出現頻率只有「我」的三分之一，也就是說，每三個「我」中才有一個「你」。從這個統計中，你就可以知道人類是多麼的自我中心了。

我們平常在說話時，用的大部分是熟悉的字，很少是生字。有人做過統計，一百萬個字中，只有一〇%是新字，其餘的九〇%是由八四八個字根所組成的。所以根本不可能從聊天或看電視中學習什麼新的詞彙，要增加新詞彙必須從閱讀著手。當我們看到一個生字在各個不同的情境中出現時，才能意會這個字的眞正用法。查字典只是學習生字的一個方法，而且不是最好的方法，依字典的定義所造出來的句子，例如「天黑了，爸爸陸陸續續回家了」，常會令人啼笑皆非。

我們如果了解孩子學語言的過程，就知道孩子對字的了解不是從定義而來，而是從情境中歸納出最可能的意思。當媽媽抱著寶寶指著小白兔說「小白兔」時，孩子怎麼知道媽媽指的是小白兔的耳朵還是綠色的草地，還是旁邊的樹叢？這是溝通最微妙的地方，說的人和聽的人必須站在一條線上，彼此有默契才行。早年在加州曾有一個提案，建議由州政府請人到聾人家庭教他們聽力正常孩子說話。當時有人反對，認爲電視有《芝麻街》，只要開電視給小孩子看就好了。結果發現沒有任何一個聾家庭的聽力正常孩子經由這種方法學會語言。

一個生字必須在不同的情境中出現才能眞正學會。其實，反省一下自己便知道我們會用很多字，卻不一定講得出它的定義來。學好一種語文必須閱讀，前幾天報上有一位老師投書說因爲聯考不考作文，學生的作文都退步了，這是怪錯了對象，學生作文退步是因爲他們沒有廣泛閱讀，與考試無關，只讀課本才會造成「徐娘半老的媽媽」和「頭頂羽毛未豐的爸爸」這種句子出現。因爲他們不知道這句話定義以外的意思。看到國會諸公用詞如此粗俗，看來「全民閱讀」是一刻也不能等的了。（《康健》雜誌，二〇〇二年一月）

3 巧合與機率

最近全民樂透、彩券瘋狂，連中學生都排隊去買，他說中獎就不必讀書，這一輩子吃喝不盡了。我問他是否知道中獎的機率是多少，他毫不猶疑的說五百萬分之一。看他信心十足的樣子，我就不說話了。也難怪他，一般人對機率都是似懂非懂，學校有教過，但是在生活上要用到時，還是得靠直覺，課本教的都不管用。

我有個同學，她家中有「七仙女」，母親第八次懷孕時，她一邊抄寫或然率獨立事件的定義，嘴裡一邊說：「我媽這回一定生男的，前面連著七次都是女的，這回一定是男的。」我很驚訝的望著她。獨立事件的定義不就是說這個事件發生的機率與前面事件無關嗎？我們會背定義，但是一碰到實例就糊塗了。其實機率的觀念很重要，很多穿鑿附會、迷信都是源自對機率的不了解。

我們常把「巧合」解釋爲「天意」，認爲是命中注定，在劫難逃。最有名的巧合例子就是林肯（Abraham Lincoln）與甘迺迪（John F. Kennedy）的被刺：林肯於一八六〇年當選總統，甘迺迪於一九六〇年當選總統，恰好隔一百年。他們都是在星期五被刺。刺殺林肯的兇手生於一八三九年，刺殺甘迺迪的兇手生於一九三九年，也是相隔一百年。繼任林肯的安德魯・詹森（Andrew Johnson）生於一八〇八年，繼任甘迺迪的林登・詹森（Lyndon B. Johnson）生於一九〇八年，又是相隔百年。他們兩人姓名英文拼音的字母數皆爲十三。林肯的秘書姓甘迺迪，勸他不要去福特戲院；甘迺迪的秘書姓林肯，也勸他不要去達拉斯。林肯和甘迺迪的拼音都是七個字母。殺害兩人的兇手都未經公開審判便被憤怒的民衆處死。刺殺林肯的兇手是在戲院開槍後躲進倉庫，而刺殺甘迺迪的兇手是在倉庫開槍後躲進戲院！

雖然有這麼多巧合，但是我們都知道甘迺迪和林肯的被刺沒有關係。事實上，你只要肯用心找，一定會找到許多巧合。我們的記憶是個選擇性的記憶，你正要打電話給男朋友，他就打過來了，你很高興，認爲這是「心有靈犀一點通」，你們兩人是天生一對，但是你忘記了有多少次你打電話找他時他不在，你選擇性地記憶你想記住的事件，而讓許多非巧合的事件流逝，因而特別凸顯了這個「巧合」。

巧合其實就是墨非定律：「一件事只要有可能發生就一定會發生」，人只是沒有這個預知能力，不知它何時何地會發生而已。人生本來就是無限機率的組合，我們不應該低估「巧合」的可能性。但話說回來，看到我們的老百姓對五百萬分之一的機率這麼有信心，誰說我們是個悲觀的民族呢。（《康健》雜誌，二〇〇二年二月）

4 接受先天，導正後天

在街上碰到一位老同事，幾月不見，頭髮全白，令我大吃一驚，細問之下才知他原以爲是過動兒的獨子，現被診斷爲妥瑞氏症候群（Tourette's syndrome），他不願接受這個事實，帶著孩子全省求名醫，心力交瘁，像過昭關的伍子胥，見面都不認得了。其實妥瑞氏症在病理上是個基因方面的問題，在目前似乎並沒有什麼藥物可治，倒是父母的心態很重要，因爲這個病症並不會影響孩子的智商，孩子仍然可以成龍成鳳。

歷史上有許多名人都有基因上的缺陷，但是都不損他們的偉大。英國《牛津大字典》的編者山謬爾·約翰生（Samuel Johnson）就是一個很好例子。約翰生出生時，醫生誤以爲是死胎，從小體弱多病，他左眼幾乎看不見，臉會抽搐，很大了都還不會講話，人家以爲他是白癡。他有嚴重的強迫症（obsessive-compulsive disorder, OCD）現象，走在路上如果有電線桿，一定要摸一下，如果漏了一根沒摸，他會倒回去補摸。他有某個特定的進門儀式，一定要做了才可以進去（通常是用跳的），但是他也是英國歷史上最有名的大文豪，他編的字典到現在還有人引用，例如他說「第二次婚姻」是「希望戰勝了經驗」、「蕎麥是英國人用來餵馬、蘇格蘭人作爲主食的穀類」。

我們知道大腦有很大的可塑性，薛費爾大學（Sheffield University）小兒科教授約翰・羅勃（John Lorber）曾經檢視過五百名水腦症（hydrocephalic）的孩子，發現腦室擴大只要是漸進的而且在幼年期發生，孩子的智力並不會受影響，他報告有一名21歲的水腦症病人拿到大學經濟學的學位，另一名水腦症者ＩＱ爲一三〇。所以父母不必很在意孩子大腦中有多少神經元，應該在意的是他有沒有健全的人生觀，有沒有自我驅策的上進心志。我們對於天生不可改變的事實應該坦然接受，對於後天可以改變的缺點應該努力導正，最主要的是要知道什麼是可改、什麼是不可以改變的行爲，這是目前科技可以幫助我們的地方。

基因的研究讓我們知道自己手上的籌碼，智慧讓我們知道如何把這副壞牌打到最好。父母所能做的不是以淚洗面、怨天尤人，而是坦然接納與積極鼓勵，讓孩子知道人本來就是每個人不一樣，「天生我才必有用」，盡量把自己的長處發揮出來，像約翰生一樣，留名青史。（《康健》雜誌，二〇〇二年四月）

5 過猶不及，適量最佳

年紀愈大，愈發現世界上的事不是非黑即白的二分法，在科學上尤其如此。許多過去我們信以爲眞的事情，在進一步的檢驗時，竟然發現並非如此。比方說，我們都聽說膽固醇會引起心臟病，很多人因此不敢吃雞蛋及海鮮。在我小時候，雞蛋是很名貴的補品，只有生病時才有得吃，如果便當裡有一個荷包蛋，孩子都會笑得三天闔不攏嘴。但是曾幾何時，雞蛋身價一落千丈，成爲蛋洗××部會的東西。

其實，雞蛋有非常豐富的營養，它是一個生命的開始，裡面有多種蛋白質、維生素，對胎兒大腦的發育很重要，另外還有抗氧化的葉黃素及玉米黃素，可以防止白內障。最近，美國心臟協會（American Heart Association）發現導致膽固醇升高的罪魁是飽和脂肪，而雞蛋中的飽和脂肪只有一・五公克，非常少，與它其他的好處比起來，瑕不掩瑜，因此，現在又公佈雞蛋是可吃的，一人一天可以吃一個雞蛋了。

海鮮類也是，蝦有膽固醇，但是它的飽和脂肪只有同等量牛肉的十分之一，而且它含有一些有益的魚類脂肪。有個研究發現低脂餐中，如果每天吃二八〇公克的蝦，雖然這些蝦的膽固醇超過醫生建議攝入量的一倍，但是最後的結果還是「好的膽固醇」增加得比「壞的膽固醇」多，因此吃蝦遠比吃牛肉好，現在蝦也是可以吃的了。

過去，我們都認爲酒會傷肝，所謂「酒色財氣」都是很不好的。最近荷蘭發現，適量的飲酒其實可以增加好的膽固醇量，擴張血管，增加大腦血流量，間接增強大腦功能，減少阿滋海默症（Alzheimer's disease）的發生；適量的酒還可以抑制血栓的形成，防止視網膜神經的萎縮。這個關鍵當然是在「適量」上，適量時有毒的東西也可治病（砒霜就是一個例子），但是過量時，仙丹也會有害。這點對我們國人特別重要，曾有人吃減肥茶吃到肺纖維化，也有人生吞黑豆養顏美容吞到不消化要開刀取出，上述的新發現重點皆在適量上。

人體是個複雜的有機體，裡面的組織與功能環環相扣，牽一髮而動全身，不可以單獨把一個因素分離出來看，必須同時考慮它和別的因素的交互作用，我們對它的評估才不會偏頗。人也是如此，好人不是全然沒有缺點，壞人也不是一無可取，事的確是要衡量功過以後才可以下定論，難怪古人說蓋棺才能論定。（《康健》雜誌，二〇〇二年五月）

6 開源節流一樣重要

翻開諾貝爾獎得主賽珍珠（Pearl S. Buck）的《大地》（*The Good Earth*），第一句話便是「王龍一生洗三次澡：出生時洗一次，結婚時洗一次，死亡時洗最後一次」，但是書中描寫的缺水苦狀，從小不曾缺過水的我很難想像，一直到後來在美國無意間看到一部大陸電影《黃土地》，片中每一滴水都得從山底下挑上來，人們爲了找水，上窮碧落下黃泉，犧牲許多生命，我才知道水的珍貴，才發現不是每個人家水龍頭打開都有嘩啦啦的水流出來。

但是生長在寶島的我覺得沒有節約水的必要，因爲很多隨便你用，反而覺得母親把擦地板的水提出去澆花是多此一舉，常常威脅她說「如果你摔一跤，那麼醫藥費可是比水費貴得多」。現在不敢這想了，二〇〇二年台北乾旱、缺水，當水龍頭打開不是嘩啦啦的水聲、而是嘶嘶的空氣聲時，馬上學會了節約。我兒子把中午的飯碗放到冰箱冰，晚上再用，這樣不必洗，可以省水。但我相信很多人和我一樣，對於幾個月前才淹大水，金魚游進客廳，幾個月後便缺水，沒水沖廁所的現象很不能接受。除了怨天以外，我們應該好好的檢討自己，所謂亡羊補牢，至少使它以後不再發生。

台灣的年雨量超過二千五百公釐，非常豐沛，因此怨天的部分應該少，尤人的成分要加大。學者專家指出的人謀不臧、政策錯誤、盲目發展等因素都在意料之內。但是漏水量偏高，每天漏掉五分之一的水，這是我沒有想到的。水能漏出去，土裡的髒物也可以滲進來，我們飲水的品質就很可慮；而且漏得這麼兇，就好像養個敗家子，累死父母都無法存下隔宿之糧。

另一個我們要改變的觀念是節約的必要性。每次我們看到國建計畫都是加、加、加，不停的蓋；其實，國家建設，減的觀念也很重要。地球只有一個，我們不能無限量的加蓋水庫，破壞生態，必須學會節流才行。昨天走路回家，看到有母子二人在刷地，母親用寶特瓶中的水（不是水龍頭）很小心的沖地，兒子則很用力的刷，令我不禁微笑起來。母子同心，水雖少，效果一樣好。政府現在有民心可用，應該把握時機，整頓水利，宣導節約，讓人民了解開源與節流是一樣重要的。（《康健》雜誌，二〇〇二年六月）

7 用長補短

日前在一家五星級的大飯店中，巧遇我當家教時教過的學生，他現在是這家飯店的主廚，也在烹飪學校授課，在餐飲界相當有名。看到他紅光滿面、意氣風發的樣子，很難想像他就是當年數學考零分，鷄兔同籠、植樹問題怎麼教也教不會的孩子。他的童年過得很痛苦，因爲整天都在「補強」，連暑假也不例外。中國人一貫的觀念是「勤能補拙」，如果錯一題，不但重做十遍，連題目都得抄十遍，因爲我們相信動手抄過了才會有深刻印象，以後不會再錯。所以他每天都在做罰寫的功課，根本沒有時間學新的東西。後來他沒有考上聯考，我們就這樣分離了三十年。

其實我個人非常反對「補強」的觀念。一個園丁如果每天的時間都花在拔草上，就不可能有時間種花，那麼，他的花園充其量是做到沒有野草而已，不會有吸引人的美景。但是如果他把時間花在種他應該種的花，那麼當花草長得茂盛時，野草自然長不出來，因爲沒有空間了，而他這樣卻有了一個耀眼的花園。同樣的，人一天都只有二十四小時，假如把所有時間都花在補強上時，自然就沒有剩餘的時間學新的東西了。

我認爲學習是個別差異最大的一個認知歷程，它可以有很多條路，不一定非得循大家的方式，這是爲什麼三千年前孔子就說要「因材施教」。而且就學習來說，最重要的是動機，連續補強的結果只會使學生生厭，失去學習動機，喪失對自己的信心。畢竟人都不喜歡經驗挫折，當你做不好又必須一做再做時，自然會厭倦上學，逃避學習。爲什麼不能跳開原地，找一個自己可以做得好的東西，從那裡下手學習呢？一個人的自信心來自同儕對你連續的肯定。只有從孩子的長處著手才可以建立他的自信，長處得以發揮之後，短處自然被帶上來，就像那天這位學生對我說：「老師，我現在不怕數學了，我發現煮菜也用到很多數學，二分之一匙的鹽，四分之一匙的糖，到處都有數學。」

沒錯，知識本來就是相通的，基本的知識本來就是生活上到處可見的，對這個當年連地上畫個圓圈都害怕（因爲使他想到零）的孩子來說，我眞的很高興他走出了自己的天地，也很猶疑不知還有多少個「他」，在酷熱的天氣中坐在教室中補強。（《康健》雜誌，二〇〇二年八月）

8 沒有可以訂做的孩子

最近醫學院的同學流行一個笑話：醫科爲什麼是莘莘學子的第一志願，因爲不但錢多地位高，連精子、卵子賣的價格都比別人高。原來現在市面上一般男性捐精子，代價（營養費）是六千元左右，但醫學院學生是一萬元起跳，而且內科、外科、皮膚科價錢不一樣，最高可到二萬，仍有不孕夫婦願意購買；女生因爲取卵子比較麻煩價碼較高，一般大學生是十萬，博士班則喊價十二萬，令男生羨慕不已。不過最近有人抱怨花高價買了最好的精子和卵子，結果做出來小孩「天資魯鈍，學習緩慢，長相愛國，人緣不佳」，令做人的醫生啼笑皆非。

其實聰明才智是先天（基因）和後天（經驗）各一半的因素，不能全怪基因。有人把這個關係比喻作出國旅遊，「基因」把你送到目的地，但是到目的地該怎麼玩，那是「經驗」的事。比如說，兩個人都到了紐約，一個人玩得很痛快，另一人則覺得不過如此。雖然都到了同一個城市，收穫卻不一樣。這位不愛讀書的孩子，他的父母不知道有沒有檢討一下自己，有沒有以身作則努力學習讓孩子作榜樣。

關於長相不佳，這點其實是遺傳學最吸引人的地方。每一次精子和卵子的結合都是一個大摸彩：運氣好，父母最好的特質都被抓出，組合成閉月羞花之貌，傾國傾城之姿；運氣不好，隱性的遺傳因子被組合在一起，形成弟弟是武松、哥哥是武大郎這種無語問蒼天之事。英國最有名的舞蹈家鄧肯（Isadora Duncan）女士曾向大文豪蕭伯納（George Bernard Shaw）求婚說：「想想看，以我的容貌加上你的頭腦，我們的孩子將是舉世無雙，天下無敵。」蕭伯納嚴肅的說：「夫人，你可曾想過，如果他遺傳到是我的容貌配上你的頭腦，他該怎麼辦？」孩子的相貌固然是天生的，但後天也有可著墨的地方，中國人不是說「相由心生」嗎？三十歲以後，人該爲他自己的相貌負責，其實我們喜不喜歡一個人很少是因爲他的長相，多半還是在於他的談吐和風度。

孩子是上天的福報，不論多麼完美的結合，孩子都不可能十全十美，盡如人意，因爲裡面機率的成分太大了，父母不可用購買藝術品挑瑕疵的眼光看待孩子，需把他看成待栽培的小樹，勤施肥，多除草，一旦他成長了，不但爲你遮蔭也造福其他人類。（《康健》雜誌，二〇〇二年十月）

9 許孩子一個快樂童年

董氏基金會最近公布了一項七年級生的調查，發現憂鬱傾向大幅提昇，每五名青少年中就有一名有憂鬱症傾向，而且有二一・八%的孩子憂鬱程度已到達應尋求專業人員協助的地步，實在令人震驚。目前醫學上磁振造影的研究已經讓我們看到憂鬱症會使神經核萎縮，改變大腦的結構。罹患憂鬱症，很多人是要終身服藥的，因此這種慢性精神疾病的防範就非常重要。根據這項調查，青少年最鬱卒的事是考試（四四%），其次是課業表現（三八%），再次是金錢（二七%）；過去居前的同儕壓力（二三・五%）及外表形象（二〇・三%）反而退了下來。

這些令青少年憂鬱的原因，其實都是源於社會觀念和父母心態的不正確。考試是評估表現，因此，考不好對自信心的打擊自然很大，因為它否定了你的學習能力。但是考試又不可以全然取消，因為適度的壓力對學習還是必要的，因此，兩者必須取得個平衡點。考試原是教學者評量教學效果的工具，也是讓學生了解自己目前學習狀態最好的方法，它本身不應該被否定。但是我們不應該要求學生考一百分，因為沒有任何老師敢說他的教學效果應該是滿分，考不好也許是老師教不好；父母也不應該要求孩子考一百分，因為他們自己作學生時也不見得每次考試都一百分，沒有權利要求孩子考得比他好。況且，考試只是評量的一種，考不好並不代表這個學生一無是處。教育者應該是找出孩子的優點鼓勵他，而不是挑出他的缺點處罰他。

其實，一個人的成功與學校課業成績的相關並不高。現代著名的企業家如林百里等，在校時大多不是書卷獎的得主。學校教育的重要性在於團體生活紀律、領導能力的培養。這些人格特質對以後的事業有幫助，因此葛林爵士說：「學校教育的目的不是在學到任何有用的東西，而是在人格、情操和正確價值觀的培養。」大家都知道出了社會，朋友的重要性遠大於書本知識，所以父母師長不應該太看重考試成績，造成孩子的壓力。

有人說，逼孩子做功課是為他好，有好的成績才能考上好的大學。但是考上好的大學並不代表將來事業一定會成功，生活一定會快樂。既然兩者之間沒有一定的相關，又何必執迷於在校成績呢？同時，父母師長的不恰當責罵常驅使孩子走上不歸路。前幾天一個一年級的小朋友因爲沒有寫作業，不敢去上學，躲在公寓的樓梯間，謊報被綁架。我們一方面訝異於孩子的早熟，另一方面也心疼才一年級就嘗到功課的壓力，學到對學校懼怕。驅策孩子固然是爲了他好，但是萬一孩子自殺了，則是前功盡棄，什麼都沒有了。

看到台灣的孩子這麼不快樂，實在令人心疼。就如一位國中生說的：「我的要求不高，請讓我有免於恐懼的自由。」對於下一代，我們有許他一個快樂童年的責任。（《康健》雜誌，二〇〇二年十月）

10 先天不足後天能補

台北最近與以色列政府共同舉辦愛因斯坦（Albert Einstein）特展，參加的人很踴躍，在會場中，最常聽到的話就是「難怪他那麼聰明，你看他的頭那麼大」。愛因斯坦的確很厲害，他的相對論我們一般人聽了三遍都沒有懂，他卻能想得出來，但是這並不代表就是他腦大的關係，科學上到現在沒有直接的證據。

愛因斯坦在一九五五年去逝時，科學界特別將他的腦保存下來。一九九九年，在科學又進步了四十年之後，加拿大麥克麥斯特大學（McMaster University）的魏特爾森（Wetelson），以更進步的測量方式重新將愛因斯坦的腦拿出來檢驗，發現他的外側溝與控制組——一般人腦——結構確有不同，而下頂葉（inferior parietal lobe）的神經組織也確比別人大一五%，膠細胞也比別人多。但是他的腦並沒有比別人大或重，事實上，愛因斯坦的腦反而比一般人的輕了一七〇公克。

一個人偉不偉大，除了先天因素還有許多後天的努力在內。我們台灣非常執著於腦的迷思，忽略了學習和毅力的重要。最近明尼蘇達雙生子研究的報告顯示，基因和後天經驗對孩子智慧的影響是各百分之五十。基因決定孩子大腦的結構，但裡面神經迴路的連接卻是後天經驗所決定的。我們的大腦有很大的可塑性，老人中風後，如果勤於復健，也可以恢復很多的功能。

蘇格蘭有位醫生追蹤五百名水腦症孩子的智能發展三十年，他發現只要病情是慢慢惡化，大腦有時間逐步適應，孩子智力發展都沒有很差，甚至有兩名兒童後來念到大學畢業。先天大腦帶給孩子的限制，恐怕不及後天教養態度、學習動機對孩子影響來得大。古人說：「蓬生麻中，不扶自直。」即使天生是蓬，在環境都是麻時，也會變成直的，所以身教言教遠比腦大重要得多。

顱相學是十九世紀的事，腦的迷思在二十一世紀不應該還存在。一個人會成功不在於頭有多大、腦有多聰明，而在於他是否肯全心投入，鍥而不捨的追求他的理想。現在我們國家最大的隱憂不是在我們的孩子不夠聰明，而是在他們的價值觀有所偏差，人格的鍛鍊有所不足。我們目前兩極化的社會不是培養孩子品德的好環境，我們傾向於非黑即白、非藍即綠，不留疑問的空間，看事情都從表象推測原因（如腦大），不能深入分析。

看到我們的國民捨本逐末，一味的追求一個自己無法改變的東西，卻放著可以使力改善的東西於不顧，我感到萬分的可惜。（《康健》雜誌，二〇〇二年十一月）

11 偏見與標籤

有一個笑話說一位牧師上了天堂之後，發現聖彼得給他住的房子又小又簡陋，給另一位計程車司機住的房子卻又大又豪華。他很不平的抗議說：「我一輩子都奉獻給主，爲什麼我的待遇還不及他呢？」聖彼得解釋說：「當您傳道時，人們都在睡覺；但是當他開車時，人們都在祈禱。」事情的表象常愚弄人們的眼睛，但實質的效果才是天主最後審判的依據。

台灣現在的社會愈來愈注重表象，對一個人的判斷不再以內涵爲依歸，而先從一個與任何事都不相干的指標著手，例如出生地變成對國家忠不忠誠的一個指標。這種做法非常危險，因爲人不是理性的動物，二〇〇二年拿諾貝爾獎的康納曼就以實驗證明，人很容易被貼上的標籤所誤導而產生偏見；一旦偏見產生，即使用意志力校正也難以還原先前的狀態。就像一塊潑到茶漬的桌布，再怎麼洗都有淡淡的痕跡。這個現象是所有監獄教誨師都知道的事，也是受刑人「更生」很難成功的原因。這是人類心靈的特質，無法用物理界的還原定律補救，人的意念一旦誤入歧途，即使很明顯的證據也會視而不見。

美國的波多馬克河口曾經發生過一樁悲劇。一位海岸巡邏艇的船長在黑夜中看到遠方船隻打來燈光訊號，他只看到兩個燈，所以以為是船隻要出港；但其實是三個燈，船要入港，只是他站的位置使他只看到兩個。當他在雷達網上看到兩個黑點愈來愈近時，他的解釋是對方一定是小船，速度慢，而他的是巡邏艇，速度快，他追上了它，所以距離逐漸在縮短。他完全沒有想到有另一個可能性，即兩艘船對開，所以距離愈來愈短。假如沒有先入為主的印象，任何人在看到雷達網上黑點愈來愈近時，第一反應一定是兩船對開，而不會是兩船追趕。最後兩船相撞，因為在黑夜中搜尋不易，死了十一個人。人的心思一旦被鎖住，要跳開原有的窠臼幾乎不可能，這就是為什麼我在看到現在社會的二分法後感到很憂心。自然界中除了物理、化學，很少東西可以適用二分法。用非黑即白、非藍即綠、非忠即奸的方式標籤一個人是很可怕的，因為人的心靈一旦被污染了就無法還原。

選舉是一時之事，國家的前途是千秋萬世大業，為了鞏固一時的政權，斷送後代子孫安身立命的機會，這個代價是值得所有人深思的。（《康健》雜誌，二〇〇二年十二月）

12 空等待，無希望

報載有幾個國中生惡作劇，將剪刀放在同學的椅子上，不知情的同學坐下去時，剪刀刺進直腸，利刃將會陰部血管刺破，造成腹腔大量出血，幾乎休克。後來雖然救回一命，可是一輩子要戴人工肛門。看到這則新聞，心中非常感慨，人工肛門的苦楚，那幾個惡作劇的同學了解嗎？這個受傷的孩子才十四歲，他至少有五十年的光陰要度過，人工肛門的日子何其漫長，人生才剛開始，他的前程就因爲同學的無知而整個改變了。我們該怎麼教導這些血氣方剛又不知天高地厚的孩子生命是「不可逆轉的」的呢？

日本諾貝爾文學獎得主大江健三郎說，他最害怕的一句話是「再也無法挽回了」。他小時候，父親突然過世，深夜裡他聽到母親在靈堂中絕望的說「再也無法挽回了」，重複說了好幾次，令他趕緊鑽回棉被裡去，五十年後這句話仍使他心口緊縮。「死」是個無法挽回之事，再多的懺悔都無用。像這種因無知而造成的悲劇，台灣不知有多少：一個孩子在走廊上揮舞美工刀，一刀刺進路過女老師的心臟，一個年輕美好的生命便結束了；一個孩子在樓上用柳丁擲樓下的同學，正中眼睛，一扇靈魂之窗便關閉了；一個孩子將同學的椅子拉開，使正欲坐下的同學跌跤，傷了腰椎神經，一輩子就癱瘓了……，這些意外事故每天都在台灣的學校裡發生。看到我們的學生對別人的痛苦這麼沒有感覺，對事情的嚴重性這麼沒有認識，眞是令人著急。

不知何時，過去「己所不欲勿施於人」的美德，已被「只要我喜歡有什麼不可以」的自私所取代了。我認爲會連續發生這種悲劇的原因有兩個，一個是大環境的紊亂讓學生對未來沒有信心，二是學生沒有閱讀的習慣，不能將別人的經驗內化成自己的同理心。向陽基金會最近公布一項調查發現青少年痛苦指數很高，主要原因是覺得社會沒有正義，道德沒有標準，國家沒有前途，因此青少年麻木自己，不關心別人，得過且過，沒有遠大的志向，也不在乎民間的疾苦。

生長在安逸生活中的這一代，沒有機會體驗貧窮、病痛、困苦，因此就無法產生同理心或悲天憫人的情懷，再加上台灣社會沒閱讀的習慣，不買書（《天下》雜誌的調查，一個家庭一年買書的錢不到一千元）也不看書，學生只有從課本中習得一些貧乏的知識。因爲無知，所以看不見行爲的後果，因爲沒有同理心，所以感受不到別人的痛苦。兩者合在一起就造成了今天的悲劇。

大仲馬（Alexandre Dumas）在《基度山恩仇記》（*The Count of Monte Cristo*）的最後一段寫道「生命是等待與希望」，當我們的青少年感到生命是「空等待」與「無希望」時，這是一個覆舟的警訊，不可以再以「個案」看待它。（《康健》雜誌，二〇〇三年一月）

13 讓人民覺得活著有價值

歲末，寒流來襲，又濕又冷，正縮著脖子快速走回家時，突然聽見有人叫我，一看原來是以前的同學，正在捷運車站外擺地攤。這一驚，非同小可，他當年可是第一志願擠進窄門的。他看到我臉上表情，急忙安慰我說子女都願奉養他，是他自己不願作「三等公民」——等吃、等睡、等死，所以出來擺地攤，賺多少是一回事，起碼覺得自己還有用。因爲天寒地凍，客人不多，我就站在街上與他聊天，順便充當購買的人氣。

他說，剛失業時，每天晚上失眠，那時手邊還有遣散費，子女也都成家立業了，所以不是經濟的壓力使他失眠。但是晚上就是不能入睡，飽嘗「衆人皆睡我獨醒」的痛苦，後來去幫親戚擺了一晚的地攤，當夜就一覺睡到天明，因此，不顧家人反對，放下身段，出來自食其力了。

工作，或是說覺得自己還有用，對健康來說太重要了，很多退休的人如果精神生活沒有安排，身體很快就衰弱下去，不到幾年就走了。最近有一份研究報告發現，如果告訴安養院的老人兩天之後院內要演喜劇片，讓他期待快樂的到來時，他唾液中的免疫球蛋白就增多。這點小小的期待就能影響免疫系統，不禁令人爲最近公布的台灣人精神健康指數感到憂心。根據這份報告，台灣有四成的人感到生命沒有價值，六成的人認爲明天會比今天更差。國人的分數是落在白色的不安全區內。對自己沒有信心，對未來不抱希望，這是典型的憂鬱症現象。難怪自殺是台灣的十大死因之一，哀莫大於心死，這是一個很嚴重的健康問題，不能夠再忽視了。

對失業漢來說，拚經濟的口號起不了作用，人的大腦並不是自己告訴自己不要緊張，它就不緊張。很多醫師告訴不孕婦女生理上沒有問題，只要放輕鬆就能懷孕，病人遵照醫囑，每天喝紅葡萄酒放鬆心情，試來試去都沒用，等到年近四十，決定去孤兒院領養孤兒時，卻突然發現自己懷孕了。政府必須有實質的方案，人民才會有信心，口號只能騙自己，對大腦不發生作用的。

最近腦造影的報告更顯現，眞正發生的事和你以爲有發生的事（誤認）在大腦中神經活化的區域是不一樣的，表示人雖然是心靈的主宰，但是腦卻不見得聽意識的指揮。要一個人不失眠，不是給他安眠藥、叫他不要擔心就可以解決的，必須使他的大腦不擔心時，他才睡得著。

台灣即將步入老人社會，也就是說，一〇%的人口到達六十五歲以上，政府對於即將面臨的老年社會卻沒有任何的規劃，這些累積了數十年工作經驗的人，應該有個貢獻他們知識經驗的管道。就像我同學說的，錢不是問題，這個政府要怎麼樣讓人民覺得活著有價值，才是最大的問題。（《康健》雜誌，二〇〇三年二月）

14 積極的生命教育

今年春節因爲景氣不好，紅包跟著縮水，好幾個來拜年的學生都向我抱怨，壓歲錢看兩場電影就光了，有閒無錢，日子不容易打發。我靈機一動，去隔壁借了顆球，把他們帶到山下去打籃球，回來後下餃子，賓主盡歡。

看著滿頭大汗但神采飛揚的年輕的臉，我心中其實很難過，因爲現在的年輕人沒有一個像樣的球場可以打球，沒有一個乾淨的游泳池可以游泳，我們給他們的休閒空間不是暗不見天日的ＫＴＶ，就是煙霧瀰漫的網咖。我們口口聲聲說青年是國家的棟樑，是國家未來的希望，可是我們的行爲卻還是選票考量，只管討好，沒有下功夫培養他們的心志，鍛鍊他們的體魄。

很多老師都覺得現在的年輕人沒有「引刀成一快，莫負少年頭」的豪氣，也沒有「只有天在上，更無山與高」的志向，以前還出國去留學，想在國外闖一些名堂出來，現在也不出國了，蹲在家裡，父母養，著實令人擔憂。中國時報春節前曾辦了個「一字千金」的活動，請讀者以一個字描寫台灣去年一年的生活，結果出來的是「亂、苦、茫」，令人怵目驚心。但其實我很驚訝的是排行榜上居然沒有「騙」，感覺上台灣是從上到下都在騙，不然怎麼會有「眞話不能說，謊話又說不出口」而辭官的事呢？這種沒典範的危險是讓孩子長大看不見希望，難怪現在青少年的憂鬱症愈來愈厲害。

孩子是需要激勵的，需要看到自己生命的意義。我擔任某大學甄試委員時，曾經問過推甄生他們心目中的醫師楷模，想不到學生都張口結舌，瞠目以對，一再催促下，有個學生答「史懷哲」；再問到中國的醫生時，學生就更痛苦了，有個學生答「華佗」，問他華佗的貢獻，他答道「替關公開刀」。另一位學生想了好久答「國父」。其實，我們不能怪學生，這個社會並沒有給他們好的效法榜樣。台灣的終身奉獻獎多半是頒給外國的傳教士醫師，他們來台灣奉獻一生，令人感佩，我們自己的人好像就舉不出幾個。

目前的年輕人受到整個社會風氣的影響，也變成急功近利，加上廣告鼓勵年輕人消費，養成青年愛慕虛榮、好逸惡勞的個性，物質慾的高升使得年輕人最大的休閒活動是血拚，沈溺在無意義的消費生活中，浪費時間與生命。笑貧不笑娼的結果是社會道德沈淪，孩子精神生活空虛，不知道自己爲什麼而活。當我們國立大學的畢業典禮有鋼管秀出現時，我們應該要正視青年的正當休閒空間了，一夜狂舞就幾百萬的跨年晚會可以免了，這個錢應該拿來蓋社區運動場和充實圖書館，讓孩子有地方做有益身心的活動。

捷運是今天不做，明天會後悔；對青年，積極的生命教育是今天不做，就沒有明天了。

（《康健》雜誌，二〇〇三年三月）

15 自己的心情控制在自己手上

週末去參加一位朋友母親的葬禮，她母親多年來受她祖母虐待並被誣指偷首飾，最後雖然眞相大白，但是祖母並未道歉。她爲了母親不曾親耳聽到這一聲對不起，心中非常的憤憤不平，宣稱母親死不瞑目。葬禮完畢後，我搭同事便車回台北，同事也認爲受冤屈，一定要討回公道，至少要想各種方法叫她祖母道歉。我聽了頗不以爲然，因爲這和父親教我的人生態度完全不同。

我父親說，凡事要操之在我，盡量爭取主控權，但對於不能控制之事，就要完全放開，心才會自在。不要爲了一件自己無能爲力之事（如要別人道歉）而耿耿於懷，破壞了心境的安寧。我念小學時，曾被同學栽贓（牛哥的漫畫書）而被叫到訓導處罰站，我當時心中也憤憤不平，亟思報復。父親說：人一生中一定會有冤枉你、嫉妒你之人，我們不可能逢人便辯白，因此凡是自己沒有主控權之事便留待時間去解決。英文有句話「Truth is the daughter of time.」（眞相是時間的女兒），路遙知馬力，日久見人心，淸者自淸，濁者自濁。他告誡我們不要把心情寄託在別人的行爲上，一定要自己主控。別人對不對得起我們都沒有關係，因爲人是對自己負責，沒有人可以使你心情好或不好。

所以父親以前一直叫我們讀歷史，歷史上有許多忠臣被陷害（所謂「自古忠良無下場」），但是時間過去，眞相大白，他的淸白名聲仍然是萬古流芳。他舉了很多人，不過我只記得岳飛、袁崇煥。過去父親的話我都當耳邊風，但是那一天坐在汽車裡，我感受到父親的智慧，因爲怨恨是最傷身體的一種負面情緒，它鎖住我們的心，使我們看不見其他美好之事，虛度了人生。

關於「操之在我」，我印象最深刻的是帶父親去醫院看病，碰到紅燈停下來，我前面有部車，但是我右邊完全沒有車，父親便叫我移換車道過去，他說燈一綠便可以走，不必等前面的車啓動，我說又不差這幾秒鐘。父親正色說「人生事，不論大小要盡其在我，要爭取操之在我」，燈綠了，我便先走了。到下個路口，正好趕上綠燈變黃，我及時通過，後來一路都是綠燈直到醫院。如果沒有趕上這個綠燈，很可能每個路口都得停。但這不是重點，因爲的確不差這幾分鐘，重點是父親教了我事情不論大小都要盡力而爲，都要爭取主控，如果操之在我，便不會聽命於人，命運就控制在自己手上，那麼不論成敗都不會有遺憾。他要我們實實在在過一生，不要有遺憾。

人生是無數機緣的組合，父親不曾聽過「命運只敲準備好的門」的話，但是他以身作則教給了我們。他教我們對無能爲力之事要放開，自己的心情控制在自己手上。看到現在世界的混亂，張國榮的自殺，我很想說，學學我的父親：「手把青秧插滿田，低頭便見水中天，心地清淨方爲道，退步原是向前行！」（《康健》雜誌，二〇〇三年五月）

16 與微生物共生

自從SARS橫行，人們便如驚弓之鳥、草木皆兵。的確，人很久沒有這樣惶惶不知所措了。自上一世紀中葉以來，因生物科技的進步，人們漸漸產生錯誤的信心，以爲科技已讓人類成爲地球的主宰：人已可以隨意變動基因組合，創造出新的生物品種來，抗生素及疫苗已把大部分兒童疾病變成歷史。

人開始輕忽傳染病，人的傲慢與自大，使人類忘記了微生物是這地球上最古老的生命形態，哈佛大學（Harvard University）已故的演化生物學家古爾德（S. J. Gould）曾說過：「從任何標準來看，微生物都是這個地球最成功的生物。」因爲它們的生命週期短暫，生命形態簡單，可以在短時間內透過基因突變，迅速的適應環境的新變化。假如它的生命週期是二十分鐘，那麼短短二十四小時，它就可以經歷七十二世代而演化出新的、更厲害的品種。《侏羅紀公園》（*Jurassic Park*）的作者克萊頓（Michael Crichton）在他的新書《奈米獵殺》（*Prey*，中譯本遠流出版）中對這種快速演化的食人菌有令人毛骨悚然的描寫，人類要花幾百萬年才演化出來的適應力，在微生物世界中不出幾天工夫便完成了。

我們看到愛滋病毒ＨＩＶ的有性生殖，使病毒不停的轉型，讓醫師疲於奔命；人想用高溫殺死細菌，但是細菌演化出在攝氏一四〇度的高溫下，不但能存活還能繁殖；當細菌已經對萬古黴菌有了抗藥性，我們憑什麼還沾沾自喜，以為世界在我們腳下，任憑我們胡作非為呢？

一九九二年，美國國家科學院（National Academy of Sciences）曾經出版一本《新興感染：微生物對美國造成的人體健康威脅》（*Emerging Infections: Microbial Threats to Human Health in the United States*），裡面指出人類在不久的將來會遭遇到流行病的荼毒，這些流行病的威力會像一九一八年爆發的流行性感冒一樣的兇狠（該年的流行死了二千萬人口）。書中列舉出許多造成瘟疫的因素如人口的爆炸、人類的自大與對大自然漠不關心、森林的砍伐與土地的不當利用、國際貿易與交通的頻繁（地球村效應）、工業革命帶來的都市環境變化以及濫用藥物帶來的抗藥性等等。想不到十年之間，這本書的預言就一再的驗證在現實社會之中了。

ＳＡＲＳ可以說是大自然的反撲，過去一百年間，環境生態的改變超過人類歷史上改變的總和，每一次的改變都造成人類與疾病之間「平衡」（equilibrium）的改變，人類行爲造成環境改變愈大，新興病原體造成大規模感染的次數就愈多，病毒本身不斷的演變，發展出種種方法來感染新的宿主，並且改變自己以順應新宿主的免疫力。假如我們再不覺醒，想辦法與微生物共生（正如美國疾病管制中心（CDC）的主任所言：人類要了解，對微生物而言，人類是侵入者，因爲它們比我們早千百萬年便已盤據這個地球），則我們前面還有艱苦的戰要打，屆時鹿死誰手，誰才是世界最後的主人翁還未可知！（《康健》雜誌，二〇〇三年六月）

17 無知，恐懼，短視

這次ＳＡＲＳ的來襲，讓我們看到英國哲學家培根（Francis Bacon）所說的「知識就是力量，力量就是控制，控制就是安全」是多麼的正確。的確，知道了病毒是如何傳染的，這個知識就使我們不驚慌；不驚慌就可以使我們定下心、沈著氣去控制疫情；疫情被控制了，我們就安全了。培根三百多年前所說的話到今天都還可以應用得上，不由人不佩服英國理性主義者的「辯證訓練和由此而來的前瞻性」。

回過頭來，我們台灣最缺的就是這種以知識爲背景的理性思考，四月二十四日和平醫院一封院，全國驚恐萬分，整個社會停擺：學不敢上，街不敢逛，車不敢搭，親人拒絕進門，寵物棄置街頭，人心惶惶。所有平面、立體媒體整個被ＳＡＲＳ占據，國際新聞沒有了，連八卦的社會新聞也沒有了，我們的每一分鐘、每一秒鐘都被ＳＡＲＳ所盤據，無暇去管自身以外的任何事。台灣社會整個被SARS所顚覆，若不是身歷其境眞不敢相信，一個國民義務教育已到九年級的國家會如此慌張，整個失控。

如果我們理性想一想，它的死亡率有比癌症、愛滋病高嗎？沒有，它的死亡率甚至低於肺結核，那麼爲什麼我們以前不瘋狂洗澡、人人戴口罩呢？現在SARS已漸趨向尾聲，我覺得我們應該好好檢討爲何會舉國慌亂，完全失去理性。

當然，最顯著理由是恐懼，而恐懼的原因是因爲我們無知。我們國民無知是因爲從上到下都沒有閱讀的習慣，這個年收入平均一萬三千美元的國家，國民買書的錢一個家庭一年不到一千元。當大學生可以花一千五百元去染髮，卻不願意花三百五十元買《第四級病毒》（*Level 4: Virus Hunters of The CDC*，中譯本商周出版）的書了解所謂的第四級病毒是什麼，別人怎麼應付，這就是一個警訊，它代表我們會在全球知識經濟的時代中被淘汰。

無知另一個可怕的地方是短視，胸襟視野無法開展。這次SARS鬧得這麼厲害，有很大一部分原因是中央與地方內鬥，耗費了寶貴的時光與力氣。

美國獨立戰爭時，英國的科克船長（Captain James Cook）到太平洋探險，交戰時美國海軍看到英國的船可以砲擊，但是富蘭克林（Benjamin Franklin）了解這次探險的科學價值與全世界人民福祉的重要性，所以在徵得國會同意後，寫信給所有美國軍艦的艦長，命令他們不論何種狀況不得阻撓科克的探險。

後來英國皇家學院送了一枚科克船長航海紀念章給「叛亂者」富蘭克林，信上說：「閣下命令麾下所有美國武裝船艦不得阻撓大航海家科克的探險。對閣下的科學自由理念與全人類福祉的胸襟無限感佩，特贈此章以資紀念。」假如兩個敵對的國家可以為了科學、全人類福祉暫時放棄政治利害關係，我們同一個國家的人就不能為了人民的安全暫時放棄政黨之爭嗎？

這次ＳＡＲＳ蔓延其實是個行政上的問題，而不是醫療上的問題，看到富蘭克林的胸襟與氣度，使我們為ＳＡＲＳ屈死的人不甘。亡羊補牢，請從基本教育做起，請給我們國民知識與胸襟！（《康健》雜誌，二〇〇三年七月）

18 所謂成功

我去中部開會，在火車上，旁邊坐了一位要去參加夏令營的高中生，我問他將來想做什麼，他毫不猶疑地說：「想做個成功的人。」我問他成功的定義是什麼，他大惑不解的望著我，意思是「這還需要定義嗎？」我再問一次時，他才勉強的說：「當然是賺大錢，變成最有錢的人。」我說：「那錢賺夠時又要怎麼做什麼呢？」他大笑說：「錢有賺夠的時候嗎？錢還會怕多嗎？」

最近《商業周刊》針對六年級世代的人作了一項調查，發現每八個人中就有一個認爲要賺一億元才夠，更是印證了這個年輕人的話。問題是賺一億元給誰花？他要怎樣揮霍才用得掉一億的新台幣？

望著他年輕的面孔，我知道現在說什麼都沒有用。人生有些經驗是沒有辦法用言語傳遞的，必須等時間到自己體會，這是爲什麼會有「千金難買早知道，萬金難買沒想到」，時候未到，即使說了也聽不進去，但是作爲一個老師，這麼小就拜金的現象卻使我很憂慮。以往年輕人的壯志、理想所謂中國人的「士」的精神到哪裡去了？五四眞的離我們太遠了嗎？更何況以賺大錢爲人生目的的人，在目的達到後會覺得非常空虛，因爲他的人生目的其實只是別人的一個手段而已。

我在念研究所時，指導教授的父親過世，在葬禮中，每個人發了一張小卡片，上面印著貝西・史丹利（Betsy Stanley）一九〇四年的一首詩，題目叫〈成功〉。大意是一個成功的人是過得很快樂、笑口常開、被很多人所愛的人；他得到純潔女士的信任，飽學之士的尊敬；他在崗位上夙夜匪懈、盡忠職守；當他離開這個世界時，他留下的東西使這個世界比他剛進來時更好；這個東西可以是做個好爸爸，創造一首詩，救一個靈魂；他從來沒有忽略大自然的美也沒有忘記表達他的感謝；他永遠看到別人的好處，也盡其所能的把他的長處貢獻出來；他的一生是別人的啓發，別人對他的回憶是由衷的感謝祝福。

我的老師站起來朗誦這首詩，然後說，他的父親是亞美尼亞的移民，一生歷經戰亂，但他樂觀、正直、有勇氣，一個人飄洋過海到新大陸尋夢，也成就了很多人的夢。他沒有錢，但他做到了這首詩上的每一個條件，在他們孩子的心目中，他是個成功的人。父親走了，他很難過，因爲懷念他，但是父親成功的過了一生，死而無憾，所以他不悲傷，因爲死亡是必然之路。

這場葬禮令我非常感動，過了三十年沒有忘記。成功不是賺了多少錢，而是影響了多少人，爲這個世界留下些什麼。年輕人應該有這個大志，世界因有我而更美好。心理學上已經發現沒有意義的快樂不會長久，心靈的空虛是再多的物質也塡不滿的。怎麼讓年輕人在開始走人生的路時就了解到這一點，是我們生命教育最重要的任務。

下車時，我把手邊看的小說《金色夜叉》送給他，希望他不會爲金色夜叉（錢）的衆多面目所迷惑而迷失自己。（《康健》雜誌，二〇〇三年八月）

19 正向情緒助你成功

朋友的女兒因為辦公室沒有窗戶、牆壁灰暗、沒有生氣而決定辭職，在景氣不好、工作難求的現在，母親的憂心可想而知。她來找我勸勸她女兒，但是在與她長談之後，我發現竟然很同情女兒，站在她那一邊，因為她說在陰沈的辦公室上班，每個人的臉色都是陰沈的，這個冷漠的情緒使同事對所有的事情都不滿，互相挑剔，彼此嚴苛批評。一件事不管做得再好，如果要挑毛病，一定有缺點可挑。所以在那個環境待了三年之後，她決定離開，不願把青春浪費在惡鬥之中，讓健康耗損在沮喪之內。

我贊成她離開的原因是，最近心理學的研究已經知道，冷漠負面的情緒會激發出戰鬥的思考方式，這個戰鬥的思考方式會使我們只看到缺點，看不見優點。就像當我們不喜歡一個人時，會集中注意力挑他的毛病，這個毛病會在腦海中放大，最後變成十惡不赦。相反的，愉悅的心情會使人不計較小事，心胸變大，比較有創造力，更奇怪的是，記憶力會變好。研究發現快樂時生產力會提昇，心情好的時候在解字謎、問題解決的實驗表現都比較好，解不出來時也比較有耐心，可以堅持下去。也就是說，中國人常說的「人逢喜事精神爽」是有道理的。

所以，正向情緒在演化上是有其目的的，它擴展我們的視野（心情不好時，找東西常視而不見），提昇我們的智慧，增加我們的人脈（所有人都喜歡和心情好的人說話，沒有人喜歡聽別人訴苦），它使別人喜歡我們，在危難時願意伸出援手幫助我們；最重要的是，它增加我們的容忍度（心情好時比較能接受新的想法和新的經驗），容忍度是領袖魅力的基本條件，它使我們在事業上成功。

最近有研究報告發現，先給二七二名職員正向情緒的測驗，然後追踪他們十八個月內的工作表現，結果正向情緒分數高的人，老闆對他的滿意度較高，薪水也拿得多。澳洲的一個研究發現，快樂的人比較容易找到工作，薪水也高，表現也好。所以，營造一個快樂和諧的工作環境非常重要，公司追求的不外生產力和創造力，既然心情愉快的人生產力和創造力都比較好，老闆怎麼可因小失大，不去改善辦公環境呢？

其實，改善不一定要很多錢，只要肯花心思就可以了。歐洲許多國家的人家窗戶外面都有花台，種有非洲櫻或秋海棠，這些是很便宜、很容易長的植物，花季很長。當一排排開在窗台上時，萬紫千紅非常的美觀有生氣，給遊客一個安和樂利的感覺。相信很多人都認爲瑞士是個世外桃源，很喜歡去那裡度假，其實我們自己的東部也一樣美麗，缺的只是自己特色的建築與整潔而已。

我們一生有三分之一的時間花在工作上，應該花點精神創造一個愉悅的工作環境，這個投資對自己的健康、對老闆的生產力都是絕對值得的。（《康健》雜誌，二〇〇三年九月）

20 表情比嘴巴更會說話

一位老同學中風了，大家相約去看他。走進門就看見他面無表情的坐在椅子上，我們跟他打招呼都沒有反應，好像不認得或聽不見。他的太太上前化解我們的尷尬，解釋說他是雙側顏面神經受損，所以臉上無表情，不能說，吞嚥費力……。大家開始七嘴八舌的把自己的或朋友的經驗說出來，本來是安慰他，但聊得愉快，反而把病人冷落了。我注意到病人眼光有點奇怪，好像很憤怒的樣子，便拿了張紙給他寫，只見他緩慢、用力的寫下「不要把我當白癡！」我一驚，的確，他的智慧並沒有喪失，只是因爲他沒有表情、不能作反應，我們便把他當白癡，當著他的面說他的長道他的短，好像他不在場一樣。想不到，人沒有了表情，便成了《化身博士》（*Dr. Jekyll and Mr. Hyde*）電影中的透明人，別人對他視而不見了。

很多時候，表情比言語更重要，在演化上，前者比後者早了千百萬年，但是我們一般都不重視它，只有到失去時才發現它的重要性。表情的重要性在聾人作手語溝通時最顯著。聾人談話時，很少盯著對方的手看，而是注意對方臉上的表情。我曾搭過一對聾夫婦的便車，一路上，先生興高采烈的告訴太太今天發生的事，因爲他要開車，眼睛要看前方，手要扶方向盤，不免令人好奇他如何做到邊開車邊聊天：只見他側著臉，兩眼仍然向前看，但太太可以看到他臉上的表情，他用一隻手扶方向盤，用另一隻手把重要的手勢打出來。我們過去都認爲手語的手勢形狀、擺的位置及動作方向非常重要，錯一個都會代表另外的字，就像英文拼錯一個字母就代表另外的意思，想不到這些雖然重要，最重要的竟然是表情。這令我想到初中時念的「嗟來食」，雖然一樣是施飯，口氣不同，感受不同。

更有趣的是，我們可以一邊開車一邊說話，聾人也可以，我們可以低聲細語講悄悄話，聾生也可以。有一個聾朋友告訴我，他上課時與鄰座同學聊天，在桌子底下偷偷的打手語講悄悄話，不讓老師知道，但是聊得太愉快了，臉上的表情洩露天機，被老師發現了。

美國華盛頓大學（University of Washington）梅爾索夫（Andrew Meltzoff）的實驗顯示，剛出生的嬰兒就能模仿大人的表情，由此可知表情有多麼重要。我們大腦只要二十毫秒（千分之二十秒）便能從表情上分辨來者善不善；不善的話，立刻拔腿就跑。在老鼠身上，腦中的情緒路徑比理智路徑快了一倍，難怪我們常發現學生老遠看到老師來了，第一個反應是轉身要逃，轉到一半時，想起來尚未畢業，論文還在老師手上，便又回過身來打招呼。

既然表情在人際關係上如此重要，而且現在生理心理學研究已經知道臉上作出微笑表情時，肌肉的生理反應可以帶動心理的感覺使你比較快樂，我們何不常常微笑，予人快樂，自己也快樂呢？（《康健》雜誌，二〇〇三年十月）

21 團結者生存

最近有個研究發現，人類掌管社會性的基因同時也與免疫力有關，再度支持大腦的演化是有社會性壓力的說法。

這是一個做得很仔細的研究，匹茲堡大學（University of Pittsburgh）醫學院的研究者找了三三四名18～54歲的受試者，以每人八百美元的代價到實驗室感染感冒病毒。在感染前，受試者先做身體檢查，確定沒有任何毛病；然後找出身體中已有的抗原體，以排除社會性強的人接觸的人多，過去被感染的機會多，以致身體中病毒抗體本來就多的說法；並接受社會性人格（外向與親和力）的測驗；詳細報告他與配偶、親人、朋友、同事之間相處的情形，以了解他的人際關係網以及社會支持網的強度。

進入隔離室後，先驗尿，檢查小便中腎上腺素（epinephrine）與正腎上腺素的濃度，再用棉花棒採唾液，測口水中的免疫球蛋白，然後給受試者兩種感冒病毒中的一種（以增加實驗的類化效應，表示不是只對單一病毒有作用）。實驗者觀察受試者在隔離室中五天發病的情形，將主觀（受試者自己的報告如鼻塞、流鼻涕、打噴嚏、咳嗽、喉嚨痛、頭痛等的嚴重情形）與客觀（身體中抗原的多寡）的資料與各個變項求相關。

結果發現，與感染感冒最大的相關是社會性人格，因爲現在已經知道外向人格有基因上的關係，尤其最近發現，害羞的孩子他的兄弟姊妹得花粉熱的比例也比不害羞的控制組來得高，所以研究者在作了各種統計的迴歸分析後，最後的結論是：掌管社會性人格的基因，同時也在身體的免疫力上扮演重要的角色。

這個實驗結果雖然令人驚訝，想想其實很有道理。人不像野獸有尖牙利爪，跑得又不快，要在大自然中生存下去必須靠團體的力量，所以容易與人相處的「社會性」對個體的生存就很重要。

新的理論都強調大腦是社會性的產物，它的許多機制是人類爲適應團體生活需求而發展出來的，例如語言及對負面表情的敏感度。我們大腦中有專對面孔起反應的神經元，以及專對別人動作模仿的「鏡子神經元」，所以促進社會化的基因同時也幫助抵抗病毒，可以說是個合理的解釋。

了解人類自古以來惟有團結才能生存之後，看到現在政客用省籍、語言等各種手段分化族群時，不免爲台灣的明日擔憂。演化是無情的，如果我們反其道而行，只有被淘汰一途。

（《康健》雜誌，二〇〇三年十一月）

22 瘦了荷包，肥了小腹

辦公室的同事拿著一張卡通笑得前仰後合。這張卡通桌上畫著一只咖啡壺，旁邊畫著一個灌腸器，旁白說「你今天要拿鐵還是卡布基諾？」原來有人要減肥，誤信廣告用咖啡去灌腸，灌出毛病來上了報紙。

我不敢相信眞有人會如此做，小學的自然課本不就告訴我們「小腸吸收養分，大腸排泄廢物」嗎？如果要減肥，應該灌小腸而不是灌大腸，單憑這一點就知道這個廣告是不實的，但是一定有很多人買，商人才會在被罰了八萬元之後還不怕罰繼續賣。想到這裡，眞令人嘆息，台灣人的錢眞好騙，只要冠上「增進大腦功能」、「潛能開發」，父母就乖乖掏出錢來；只要標示「美容減肥」，再苦的毒藥也喝得下去；只要保證生髮固精，再貴的藥丸也買得下手。其實，不正確的減肥對身體健康的傷害比肥胖更大，因爲它改變了身體新陳代謝的平衡。

美國曾有一個實驗，將高脂肪的食物餵老鼠，直到牠們超過體重的二〇％，達到肥胖的標準，然後減少牠們的食物，強迫老鼠減肥；待回到原來的體重後，又增加食物，使牠們變胖。這樣來來回回做紀錄，結果發現第一次減肥時，老鼠需要21天回到原來的標準，第二次就需要46天，雖然老鼠每天的卡路里都控制得一模一樣。而胖回去時，一次比一次容易，第一次花了46天才達到肥胖的標準，第二次14天就達到了。也就是說，第二次減肥比第一次多花一倍的時間才瘦下來，但是胖回去時只需原來三分之一的時間就達到肥胖標準。光是這個數據，就讓人不敢隨便減肥了。

雖然這是老鼠的實驗，但是在人身上也一樣。哈佛大學的研究發現，第一次瘦身時，一週可以瘦二・三磅。但是第二次瘦身，一週下來只能瘦一・三磅。而且研究發現，如果只節食而不運動，失去的是身體的肌肉，胖回來的卻是脂肪，而且脂肪會轉移囤積的地方，統統集中到小腹；而現在已知小腹脂肪的囤積，比大腿和臂部更容易導致心臟病和糖尿病。

這個原因是急劇的減肥改變了身體的新陳代謝，我們平日吃進去的食物，六〇～七五％轉換為維持生命所需的能量，及作為細胞修補之用。當我們急劇減肥時，身體就產生抗衡作用，立刻採取應變措施，在兩週之內使新陳代謝減低二〇％，並且使能量轉換成脂肪囤積起來，以對抗食物的匱乏。所以減肥的人常會發現瘦到一個程度後就瘦不去了，而一不小心就立刻胖回去，甚至比原來更胖。

其實要瘦唯一的方法就是控制飲食和運動。天下事只要有恆心都會成功，眞的想減肥，每天少吃一口飯，多走兩步路，只要持之以恆，一定有效。青年守則不是說「有恆爲成功之本」嗎？坊間的那些偏方如果聽起來不合理，一定要求先看證據再掏腰包，不要傷害了自己的健康後悔莫及。（《康健》雜誌，二〇〇三年十二月）

第3篇

多元社會需要多元智慧

1 笛卡兒，我們往腦看吧！

自從笛卡兒（Rene Descartes）提出心物二元論以來，這三百多年間，學者紛爭不休，一直到最近，因為腦造影技術精進，讓我們可以在活人大腦上即時看見心智活動的情形，這個問題才逐漸塵埃落定。一九九八年，美國愛荷華大學（University of Iowa）醫學院的神經學教授達馬吉歐（Antonio Damasio）寫了一本相當轟動的書《笛卡兒的錯誤》（*Descartes' Error*），正式宣布心物是一元，大腦受傷了，心智功能也隨之變弱或消失。

其實早在一九八四年，美國精神醫學會（American Psychiatric Association）理事長安卓遜（Nancy Andreasen）就在她的暢銷書《破碎的大腦》（*The Broken Brain*）中提出生物精神醫學與心理治療的關係。她指出一些過去我們認為是意志薄弱、道德敗壞的乖張行為，其實是大腦病變的結果，並無所謂獨立的自主意志。就好像過去認為是由心理因素造成的強迫症行為，現在也發現它有大腦上的原因。最顯著的一個例子，就是一位有不停洗手症狀的強迫症的年輕人，在自殺未遂，醫生把嵌在他大腦尾狀核（caudate nucleus）的子彈取出後，強迫性洗手症現象就消失了。

這個病例帶給學界很大的震撼，一個被認爲最符合佛洛伊德心理分析理論的毛病，竟然有更直接的生理原因，這使得醫師回頭檢視其他的心智疾病。現在已有很多證據指出心理行爲上的病因，其實是大腦結構上的缺失或神經傳導物質如血清張素等的不平衡。憂鬱症和注意力缺失／過動（ADHD）就是一個例子，尤其後者過去都認爲是父母過分寵愛，沒有家教，養成孩子不聽話的個性，現在發現這些孩子的腦造影圖竟然與憂鬱症患者很相似，是不夠激發，而不是過度激發。因此，現在治療過動兒的藥物中有一種和治療憂鬱症的一樣，叫「利他靈」（Ritalin），它阻擋血清張素的回收，增加神經突觸間血清張素的量，提昇大腦的活化，在臨床上非常有效。美國現有三八〇萬兒童被診斷爲過動，有二〇〇萬在吃利他靈，而且紐約州政府立下一項意義深遠的判例，如果醫生開了藥，父母不可以不給孩子吃，否則以虐待兒童罪入獄。

生物精神醫學的進步讓我們了解腦和心智是密不可分的，腦是心智的根本，皮之不存，毛將焉附？腦壞了，行爲也損傷了。如果心智行爲的異常是源自大腦的不正常，那麼我們是否也應該修正對精神病人的歧視呢？假如你可以光明正大的去醫院掛號看感冒，爲什麼精神科的掛號被發覺了就要被迫離職呢？最近一連串精神病人的兇殺案，使得這個問題更加的迫切，我們應該以正確合理的態度正視精神疾病。

另外，我們必須正本清源從腦的解碼來了解精神疾病。腦科學是這個世紀的顯學，各國都卯足勁在開拓這最後的一塊神秘的蠻荒之地（the last frontier），但台灣到現在連一個整合神經、認知與行爲研究的腦科學中心都沒有，比起鄰近的日本、韓國、新加坡及中國大陸的集中式火力進攻，實在是令人憂心。尤其是在生物科技突飛猛進的時代，我們怎能不去面對人類生命的最基礎元件——智慧？（《科學人》，二〇〇二年九月）

2 夢的奧秘

我小時候看京戲，看到包公白天審人，晚上審鬼，只要「遊仙枕」一睡，便可以從夢中進入陰間去翻生死簿，救出冤魂，心中非常的佩服，很期待自己也能如此，開始對夢感到好奇。後來可以閱讀了，看到《西遊記》中魏徵夢斬龍王，更是決定以後一定要研究夢，讓自己即使人被拘束在教室中，神卻可以出遊。長大後才知道，全世界的人都對夢都有無限的好奇心，每個文化對夢都有自己獨特的解釋，這個解釋便成爲每個文化的特色之一。

中國人把夢視爲預兆，朝廷設有專門解釋夢的官員，夢更成爲國家大事決策的依據。唐朝開國皇帝李淵舉事之初，曾經夢到睡覺掉到床下，被蛆嚙食，因爲掉到床下是「陛下」，被蛆附身是「萬民依附」，所以決定舉兵發難。曹操也因爲夢到三匹馬在一個槽中吃糧草，而動了殺司馬昭之心（三匹馬被解釋成司馬懿、司馬昭、司馬師，而槽被解釋爲曹）。印第安人也認爲夢是預兆，美國印第安人會把一個像網子似的編織物掛在牆上，叫做「捕夢網」（dream catcher），希望日日有好夢。南美的印第安人更認爲夢中的事是實際發生的，對夢戒慎恐懼。

關於夢的解釋，到十九世紀末，可以說是讓佛洛伊德發揮到極致。佛洛伊德認爲夢是無意識慾望的心理僞裝運作：在睡眠時，因爲「自我」對「本我」的警覺鬆懈了，讓原來被控制的慾望掙脫出來，以象徵物的方式出現在夢中，所以他說蛇、水管或任何長形物是陽具的象徵，夢到這些代表著性慾。他在一九○○年出版的《夢的解析》（*The Interpretation of Dreams*）曾經暢銷一個世紀，但是現在漸漸式微，因爲他的假說無法驗證，一個無法驗證的假說是沒有科學價值的，所以佛洛伊德對夢的解析，便在科學的浪潮下逐漸被淘汰。

一九五三年在夢的科學研究上是個重要的里程碑，有重大的突破。美國芝加哥大學（University of Chicago）的克萊特曼（Nathan Kleitman）第一次發現夢與睡眠時的快速動眼（REM）有關，他發現做夢時眼球會跳動，其腦波與清醒時很相似，因此史奈德（Fred Snyder）說「夢是清醒時眞實生活的反映」，人的意識流從不停止，只是做夢時，肌肉都放鬆了，所以不會把夢境實際表演出來。

許多人都做過「走樓梯一腳踩空」的夢，這就是因爲剛入睡時大腦急著要做夢，但是肌肉還沒有放鬆，爲了避免起來夢遊，腦幹便下指令要肌肉放鬆，因爲肌肉一般要五～十分鐘才會慢慢放鬆，急切之間不可得，於是我們就突然做這個夢，不知爲何我們來到樓梯上，一腳踩空，掉下來把自己蹬醒。在實驗上，可以看到肌肉張力的消失與眼球的開始跳動是同步的，因爲做夢時眼球會急速運動，所以現在知道大腦爲了避免我們夢遊便讓我們做這個夢。

夢遊的人一切行爲與淸醒時一樣，只是沒有意識而已，眼睛是張開的，可以看見東西，只是看到的東西沒有進入他的意識界。他也會說話，但只是簡單的反射反應回答，例如問他「你起來了嗎？」他會答「是」，問他「要出去嗎？」他也會答「是」，但是假如問他「請你把昨天向我借的二百元還我」，他聽不懂；他也無法告訴你「汽車鑰匙在抽屜裡」，因爲他處在睡眠狀態，無法了解語意，所以夢遊的人醒來完全不記得夢遊時發生的事。一般來說可以把夢遊的人叫醒，但是假如他正站在危險的高處時就不可以，他因爲沒有意識，所以沒有恐懼感，又因爲眼睛是張開的，所以腳踏出去不會踩空，所以夢遊的人走在鋼索上平穩自如，對他來說只是走路而已，但是一旦叫醒，意識就回來了，這時，我們對「高」的恐懼感就會使他腳軟而摔下來。

如果說「精神病是醒來的做夢」，那麼「夢遊就是睡著的表演」，將夢境實際表演出來的一個沒有意識的動作。

中國人說「日有所思，夜有所夢」，現在由睡眠的研究中知道這句話是正確的。朱費

(Michel Jouvet, 1979)和拉維(Perctr Lavie, 1996)等人的研究發現，剛開始的夢都與白天發生的事有關，但睡到中夜以後的夢時間就逐漸拉遠了，那時做的夢差不多是六～八天之前發生的事，而每晚最後做的夢與遙遠的過去有關。老人對「想當年」的事記得牢，很可能是神經迴路在夜間常常被活化的關係，活化的次數愈多，神經的聯結愈牢固，愈不易忘記。

朱費也發現眼球的跳動與夢境有關，如果夢到打乒乓球，眼球就會左右跳，如果夢到上樓梯或打籃球，眼球就會上下動；拉維更發現，睡夢中眼球的跳動與資訊的擷取有關。奎登(Olga Pettr-Quadens)等人一九七五年發現塞內加爾及印尼的原住民在做夢時，眼球的跳動都比較少，因爲他們的生活幾千年來沒有什麼改變，新資訊的擷取沒有那麼多。

同樣的，嬰兒比我們多出來的睡眠，絕大多數也是ＲＥＭ睡眠，因爲嬰兒一生下來必須快速學習周邊環境的一切，以利生存，當他在大量學習時，必須有大量的ＲＥＭ睡眠的做夢以整理清醒時所觀察到的訊息，所以嬰兒的睡眠有很大一部分是做夢的ＲＥＭ睡眠。另外研究也觀察到七個月大的胎兒在母親肚子裡就會做夢，他們會把大拇指放進嘴裡吸吮，做爲出生後自己獨立呼吸的準備(胎兒在母親肚子裡不會呼吸，他是靠臍帶與母親交換血液中的氧氣)。

很多人很奇怪小小的嬰兒在家中萬般的呵護，爲什麼常會做惡夢大哭驚醒過來。我們現在知道嬰兒清醒時其實是處在一個極端壓力的情境下，所有的聲音、影像都是新奇的，他必須花很多精神分析、學習，這種不自覺的壓力，常會使他在夢中宣洩緊張的情緒，因而造成惡夢。

夢與學習的關係在鳥類身上也可以看到，本來只有哺乳類才會做夢，但是在學唱歌的幼鳥會也做夢，不過三個月「出師」後就不再做夢了。如果把巴比妥酸鹽這個麻醉劑在夜間打入幼鳥掌管唱歌動作的神經元RA（robustus archistriatalis）不准其活化，那麼這隻鳥雖然白天很努力學習，但是晚上回家沒有做功課的話，牠的學習效果會嚴重受損，RA這個神經元對鳥兒自己的聲音敏感，而且在睡眠時活化的程度比清醒時高五~廿倍（D. Margoliash, 1998）。亞歷桑納大學（University of Arizona）的麥克納頓（B. McNaughton）也發現，老鼠睡眠時大腦的活動與牠學習新環境的空間方向有關。

以色列做過一個大型的睡眠實驗（Lavie, 1996），將士兵調到實驗室中，每一組都學四十個生字，第一組士兵在學完之後去夜行軍；第二組學完後去睡覺，但不准做夢，一做夢便被推醒；第三組爲控制組，學完後去睡覺，沒有任何干擾。結果天亮以後他們回憶昨天學的生字時，可以睡覺但不能做夢的那組最差，比一夜沒睡的夜行軍士兵還糟，當然記憶最好的是一覺到天明、睡到自然醒的那組。

所以我們現在知道夢與學習有密切的關係，做夢時神經迴路活化，將白天學的東西拿出來整理，去蕪存菁，這不就和孔子說的「溫故而知新」是一樣的道理嗎？早期的安眠藥是讓病人入睡，卻沒有讓他做夢，結果病人都一直抱怨一夜無眠，身心疲憊，其實他真的睡著了，只是沒有做夢而已，所以夢的確有其存在的必要性。（這點雖然目前仍有些爭議，但是大多數科學家如哈普生〔J. A. Hobson〕、拉維等人都持肯定的看法。）

另一點很令人好奇的是，天生眼盲的人做的夢會是什麼樣子？一般人的夢是彩色的，因爲從磁共振腦造影的圖片顯示受試者在做夢時，視覺皮質所在的枕葉是活化的，表示一般人的夢境是彩色的。研究發現，天生盲者的夢缺乏影像及場景，他們的夢是聲音、觸覺及情緒的經驗。拉維的實驗也發現盲人做夢時，眼球的跳動較少，跳動的程度與失明的時間呈負相關：失明愈久，做夢時眼球跳動愈少。

現在我們已知夢是一個生理的現象，透過大腦中神經傳導物質的機制，與我們的學習、情緒有密切的關係。美國目前有十八州將上學時間延後一個小時，因爲他們發現睡得飽的孩子，學習效果好，中輟生比例降低。

科學知識和技術的進步，讓我們對花去我們一生三分之一時間的睡眠和做夢有全新的了解：睡眠時大腦不是停止活動，而是神經元活動的方式有所不同；夢也不再是慾望的象徵，而是白天發生事件的重演，它的怪誕不再是潛意識的表現，而是神經傳導物質的多寡，尤其是乙醯膽鹼（acetylcholine）濃度的高低。

在二十一世紀的今天，我們雖然對夢的成因和機制有所了解，但對夢的好奇心並沒有絲毫的減少，對乘著歌聲的翅膀飛入夢鄉的文學作品仍有無限的嚮往。即便現在重讀包公案，我仍對作者的想像力感到敬佩。幾千年來，夢的神秘感吸引著每一個人，夢鄉也仍然是每一個人最嚮往的甜蜜之鄉，在那裡，誠如拉森（Gary Larson）所說，有著「最美妙的娛樂」。「做個甜美的夢」，仍然是我們對親人最深的祝福。（《科學人》，二〇〇三年十二月）

3 看推理學心理

每年暑假我都給學生開書單，讓他們在假期中讀一些課外書以彌補聯考「偏食」的不足。在我的書單裡，大部分是推理小說。我覺得在訓練思考能力方面，天下再沒有比推理小說更好的方法了！尤其是心理系的同學，除了邏輯的訓練之外，還需要加強對人的理解，因此讀與人的七情六慾有關的推理小說，可以說是一石兩鳥、一舉數得。

舉個例子說明看偵探小說的好處。在柯南・道爾（Arthur Conan Doyle）所創作的福爾摩斯（Sherlock Homles）探案系列《血字的研究》（*A Study in Scarlet*）中，街角的空屋裡發現一具屍體，無明顯外傷，死因不明，蘇格蘭場請福爾摩斯幫忙。福爾摩斯和華生醫生一起在屋裡屋外繞了一圈，華生看到所有福爾摩斯看到的東西，但是離開現場時福爾摩斯對探長說，兇手身高六呎以上，正在壯年期，穿著方頭鞋，右手的手指甲很長……。後來兇手抓到，果然如福爾摩斯形容的：華生則是到兇手落網，仍然不知道其中緣故。因此常被福爾摩斯笑說：

「This is elementary, Watson!」

拿華生和福爾摩斯相比，我們立刻可以看出「生手」和「大師」的差別——差別在於有沒有足夠的背景知識來建構他的基模（schema）。當基模健全時，外界傳入的訊息經過基模的解釋，意義釐清後被放入適當的位置中，就像我們在玩拼圖遊戲一樣。當有足夠的訊息進來，各自落入它們恰當的位置上時，一幅圖案就浮現出來了。

在上面的例子裡，因爲福爾摩斯是個絕佳的人性觀察者，所以他知道人在牆上或黑板上寫字時，通常會寫在比眼睛高一點、手很自然舉起的高度，因此，測量牆上血字的高低就可以推測出兇手的身高。雖然地毯上和外面泥地上留下的鞋印是方頭和圓頭錯雜的，但是圓頭的鞋印只有進來的，方頭的才有出去的，所以判斷兇手穿的是方頭的靴子；方頭鞋一步跨出有四呎長，表示著鞋者步履穩健有力，正值盛年。牆上血字的右邊著力深，表示兇手是慣用右手的；血字有指甲刮痕，顯示右手指甲長。兇手是蓄意謀殺，不是臨時起意，臨時起意的人不會在牆上留字，只有深謀遠慮、等待許久，終於達到目的的人，才會想到在牆上留字，這是人性。

福爾摩斯因爲有這些背景知識，所以他的基模會主動搜尋有用的資訊，將之放在合理、適當的地方；華生的視網膜一樣接觸到這些刺激，卻缺乏更高層次的認知架構，將這些資訊組合起來成爲有意義的東西，這些訊息很快就淡出他的知覺系統了。換句話說，「知道要看什麼才看得見什麼」，這句話在我們的日常生活中常體會到，在偵探小說中則被發揮到極致，這是念心理學的人不可不讀推理小說的原因之一。

念心理的人需要很寬廣的知識背景，因爲凡是與人有關的學問，都包含在心理學的領域中。知識的來源有兩方面：一是自己的經驗，二是別人的經驗（傳承的經驗）。經驗的取得需要時間與精力，卻是現代人最不能付出和提供的兩樣東西，因此，獲得知識的最有效方法就是閱讀，藉此吸取別人的經驗。而好的推理小說能吸引人的地方，就在於它對人物性格的描寫，呼之欲出，栩栩如生，這些都是赤裸裸、沒有僞裝的人性（好的與壞的推理小說的差別也在於此）。對走臨床社會心理的同學來說，推理小說提供一個了解社會上形形色色人物心理狀態的大好機會，這是念心理的人不可不讀偵探推理小說的原因之二。

第三個理由是偵探小說是鬥智的，一方擺下天門陣，一方要設法破解它；雙方的行爲背後都有目的、有理由所以要這樣做。好的偵探小說高潮迭起，柳暗花明又一村：兇手爲什麼會回到犯案的現場？這是行爲偏差裡的哪一種？爲什麼說預測一個人行爲最好的方法是他過去行爲的模式？在鬥智的過程裡，我們看到課本上的理論一一印證，心中的痛快是筆墨難以形容的。

最後，對所有喜歡動腦神經的人，我要再次提醒大家：「多多使用你灰色的腦細胞！」（這是克莉絲蒂〔Agatha Christie〕所創造的大偵探白羅〔Poirot〕的名言。）大腦是愈用愈靈光，讀偵探小說不但現在增加生活樂趣，老來還可以避免老年癡呆症，眞是不亦快哉！（《謎人》雜誌第一期）

4 心理學的絶佳範本

科幻小說和偵探小說都靠懸疑吸引人，但科幻小說靠的是科技的異想天開抓住讀者，它們在人性的描寫上遠不如偵探小說，所以大多數的科幻小說的主角人格並不突出，也很少著墨於人內心的掙扎或決策推理的過程。在寫科幻小說的名家中，有一個例外就是寫《侏羅紀公園》的麥克・克萊頓。他對人性的了解很深刻，寫的推理小說引人入勝、前後呼應，給人絲絲入扣的感覺。

克萊頓原是哈佛大學醫學院的畢業生，又曾在沙克研究所（Salk Institute）作過研究，所以他的生物科技背景很紮實，寫的科幻小說有足夠的真實性，吸引了很多讀者，但是我最欣賞他的一本卻不是科幻小說，而是他寫的《火車大劫案》（*The Great Train Robbery*）。這是一件真實的故事，發生在一八五五年，英國與帝俄打克里米亞戰爭的時候，英國每個月要運黃金到黑海邊發軍餉，歹徒垂涎於這些黃金，於是設計要搶這批金子。

這本書裡面有許多情節是我們教心理學的最佳範本，比如說，裡面有一段是描寫一個活人要裝成死人，躺在棺材裡，想要魚目混珠混上裝有金條的保險櫃的貨運車廂好去偷黃金。我們都知道押運黃金是何等大事，更何況英國人這種謹慎、保守、一絲不苟的民族，更不可能輕易讓棺材上車而不開棺驗一下，以確定是死人，不是搶匪。因此，如何使火車站長、銀行押運黃金的高級人員在開棺後，不去摸屍體的鼻息和體溫，就變成一個大挑戰，運用到許多人的心理層面，精彩極了。

他先運用人同情年輕貌美小寡婦的心理，雇用一個漂亮女演員扮演小寡婦，跟在棺材後面哭天搶地，讓別人覺得她已經夠可憐了，不應再開棺多刺激她一次。他同時安排了同夥人混在群眾中，聲援小寡婦，不讓站長開棺驗屍，這是第一步。但是萬一站長非常敬業，一定要開棺時，他的第二步就更精彩了。

英國自從愛倫坡（Edgar Allan Poe）的恐怖小說之後，很多人都很擔心下葬的親人會復活，但是被釘牢在密不通風的棺材中出不來，因此英國在十九世紀的棺材上有個小鈴鐺，一頭繩子是綁在屍體的手指頭上，萬一死人復活時，鈴鐺會響，可以通報家人。我們中國也有停床、守靈、頭七的習俗，意思其實是一樣的，要確定人是死了以後才下葬。

這個高智商的搶匪要利用人類對於重新燃起希望又經歷到一次失望的雙重打擊的同情心心理，逃掉被驗屍之險。他的想法是當他在棺材裡聽到外面人聲說「開棺」時，他在裡面先搖動鈴鐺，讓別人以爲他復活了，他的寡婦就要做出欣喜欲狂的樣子，趕著叫人拿鐵撬來開棺，一方面跪下來感謝天恩，並叫別人跟她一起禱告，使用群衆的力量，讓群衆覺得有參與感，別人的事變成他家的事，「管定了」。

棺材中當然事先放了已發臭的死貓、死狗在底下，好一打開便有屍臭發出來，棺一開，一股屍臭出來，旁人就立刻了解，這個鈴聲是 false alarm，人並沒有復活。一陣惋惜後，小寡婦得做出從欣喜的高峰跌入絕望谷底的表情，嘴裡喊著「蒼天蒼天，我以爲你可憐我把強尼還給我了，想不到你是捉弄我，我是做了什麼壞事值得你這樣一再的捉弄？」但是當然，重點在於棺一開後，小寡婦便得不顧骯髒的撲上去，蓋在屍體上痛哭，使站長摸不到屍體。這時旁觀的人自會同情小寡婦，紛紛指責站長太無情，站長也覺得因爲他堅持要開棺，惹出這一場風波，便急忙把棺蓋回去了。這一蓋，一萬二千磅的黃金也就失去了。

在這一場戲裡，所有人的反應都在主角的意料之中。假如他那時讓小寡婦堅決不開棺，那麼這個行爲一定引起站長的懷疑，搜棺時一定搜得更仔細。她必須做出一番姿態，讓人覺得她其實是迫不及待的要想趕快開棺，期望得愈高，失望得愈深，這個同理心是每個人都懂得的，旁觀者會替小寡婦向站長施壓，叫他快關上棺材蓋，免得再刺激這個哭得淚人似的可憐兒。英國國家銀行的經理在衆多人潮的包圍下，欲驗屍也挨擠不上，更何況衆怒難犯，於是棺蓋上了，英國歷史上最大宗的一樁搶劫案也就發生了。（《謎人》雜誌第三期）

5 科學推理——AIDS病源千里追蹤

假如我說科學上的發現可以像偵探小說一樣驚險刺激，步步懸疑，過程可以像警探辦案一樣剝繭抽絲，扣人心弦，你一定不會相信。但是近代愛滋病病毒HIV的發現和追蹤就是一個活生生的例子。科學家把這個病毒的源頭一直追蹤到五千年前埃及金字塔中陪葬的猴子木乃伊身上，其過程之精彩絕不輸於偵探小說。

在一九八〇年代初期，美國東西兩岸舊金山和紐約的醫生發現有很多年輕人死於肺炎，細查這個感染的病原卻是一種日常生活中常見，甚至寄生在我們身上的微生物 P. Carinii，它會感染營養不良的孩子或重病沒有抵抗力的老人，但是不會傷害充滿活力的年輕人。醫生又發現得這種肺炎的人皮膚常會潰爛，這種惡性瘤腫在非洲人身上比較常見，歐洲或美國的老人偶爾會有，但是對年輕人並不會構成威脅。爲什麼突然之間年輕人會死於這些平常無害的微生物呢？

醫生把這些奇怪的病例向亞特蘭大市的美國「疾病控制中心」報告，當病例開始多起來時，一個顯著的現象就浮現了：這些患者都是年輕的男同性戀者（紐約和舊金山是美國最大的同性戀社區），有著非常複雜的性伴侶。醫師確定這個病是從精液和血液中傳染，科學家進一步的把這個病毒分離出來，定名爲人類免疫不全病毒（human immunodeficiency virus, HIV）。

但是好奇的科學家卻不因此而停止。這個陰險的病毒是從哪裡來的呢？ＨＩＶ可能是個新名詞，但是它更可能是舊的病毒披上一件新衣，它很可能老早就存在，直到最近才侵入人體。一個病毒不可能突然之間冒出來，所謂「無風不起浪，其來必有因」，它總是有個過去的歷史的。在醫師對愛滋病束手無策時，科學家決定把它的根刨出來，就像《西遊記》裡的妖精一樣，孫悟空一旦探訪出這個妖精的本相，就有辦法破它的魔法收拾它了。

科學家運用推理的方法，開始假設：假如它以前就存在的話，它存在於哪裡？住在什麼動物的身上？我們有沒有在動物身上看到像愛滋病這樣的徵狀？難道它眞是人類獨有的？

科學的研究最困難的一個部分是問問題，一個問得好的問題，就等於把問題解決了一半。因爲知道問題才會去找答案。假如ＨＩＶ在一九八〇年以前就有的話，我們應該可以找到一些零星的病例。畢竟因感染 P. Carinii 肺炎而死應該會引起醫師的注意的。

果然，文獻的調查發現，第一個愛滋病的犧牲者是個挪威水手，他從來沒有到美國（因此推翻了愛滋病是從美國傳到歐洲的說法），他在一九六六年時，因淋巴腺腫大看過醫生，七一年時，醫生從他的淋巴腺上取下一個切片，這個切片後來證實呈HIV陽性反應。（幸好科學家常把疑難雜症放到冰庫中保存起來，期待後人技術進步後可作分曉，這個切片保留了十幾年，提供我們第一個確切的病例。）這位水手七六年四月死於P. Carinii肺炎。但是他在死以前感染了他的太太。他的太太在他死後八個月也相繼死亡，徵狀和他非常相似。他們的孩子六七年出生，兩歲時就不斷感染到各種疾病，七六年一月死於水痘。科學家追踪這位水手的行踪，發現他去過非洲的喀麥隆。

就在這個時候，科學家發現一九三九年德國的格但斯克市曾有過一陣P. Carinii肺炎的流行，奪去不少孩子的生命。而喀麥隆在二次世界大戰以前是德國的殖民地，三九年曾有三百名德國殖民地墾荒者在英德宣戰後被遣返德國，他們回到德國不久，第一個P. Carinii肺炎死亡的病例就出現在格但斯克，而格但斯克正好是一個海港，是遣返者踏上德國土地的第一站。

所以現在科學家就把注意力轉移到東非的喀麥隆了。果然，在喀麥隆他們找到第一個有紀錄被報告出來的病例，時間是一九一四年。後來他們發現另一種HIV家族病毒，病徵與歐美的不太一樣，但是這些病人的血液都呈ＨＩＶ陽性反應。在非洲維多利亞湖西邊的烏干達和坦尚尼亞交界處，流行一種當地人稱之爲「瘦身病」的疾病，患者體重遽減、腹瀉、發燒，最後虛弱死亡。

現在科學家再問一個問題：假如ＨＩＶ是從喀麥隆開始的，它爲什麼會開始？喀麥隆有什麼特別的動物是可以把這個病毒傳染給人類的嗎？科學家化驗了許多動物的血清，尋找ＨＩＶ的蹤跡，結果發現黑猩猩身上的ＳＩＶ與人類的最相似。科學家利用病毒基因比對的方式發現，ＳＩＶ在黑猩猩身上已經存在了幾千年。假如我們的病毒是從黑猩猩而來，那麼黑猩猩的病毒又從何而來呢？

科學家研究黑猩猩的自然生態，發現牠們喜食猴子（很多人都以爲黑猩猩是素食者，其實牠是肉食），黑猩猩有可能在捕食猴子時，被猴子抓傷感染到這個病毒。那麼猴子是否有這個ＳＩＶ呢？在埃及金字塔的壁畫上有一對夫婦，男的椅子底子有一隻猴子，女的椅子底下有一隻貓，表示在四、五千年前，猴子和貓已經作爲家庭寵物了。在紐約的大都會博物館中，也有一尊米索不達米亞的象牙雕刻，一個非洲人肩膀上站著一隻猴子，手上抓著一隻羚羊。顯示兩三千年前，人們就養猴子作爲寵物了。假如牠們是寵物，就很可能被作成木乃伊陪葬，我們應該可以在博物館或古墓中找到五千年前的猴子木乃伊，從它們身上取下一些ＤＮ

A來化驗，尋找這個病毒的蛛絲馬跡。

果然，科學家在猴子木乃伊身上發現這個病毒，在貓木乃伊身上也發現了。他們認爲這個病毒很可能已經存在於地球上五、六千年，或更久，而且猴子身上的很可能由貓所傳，因爲在另一個三千前的古墓壁上，看到一幅貓與猴在皇后龍座底下打架的壁畫。

限於篇幅，我們無法一一舉證，但是尋找HIV根源的推理過程不輸任何一本偵探懸疑好書，而且這個過程仍在進行中，我們隨時等待著新發現，就像人們隨時等待著警察宣布破案一樣。研究科學愈深入愈相信天下所有的道理是相通的！相信我，科學可以像偵探小說一樣的吸引人！（《謎人》雜誌第五期）

6 記得向上看

一個高明的罪犯（警察抓不到的），通常都是很了解人性的人，也是心理學最好的研究對象。但是科學比罪犯更高明的地方是我們知道他為什麼這樣做，而他自己只知道他應該這樣做。

比如說，美國曾經有過一個轟動一時的兇殺案，一個好萊塢的名導演被人槍殺在試演室旁，儘管現場立即封鎖而且面積不大，警察全力搜索凶器，幾乎把整個房子都拆了，就是找不到。後來捉到兇手後，他才供出藏在電梯的日光燈板上面。原來這位高明的人性觀察者注意到人們在找東西時都是低著頭猛找，很少抬頭往上面找，所以他事先勘查好藏凶器的地方，殺了人之後，用一根自來水筆大小、像汽車天線一樣，演講時指示投影片用的可伸縮式的東西，把電梯上面的日光燈板撥開，把槍丟上去，再蓋回來。警察在搜身時雖然發現他口袋裡有這根筆，但是沒有想到在演講之外它還可以有其他的用途，所以就沒有懷疑他。（他辯稱作爲一個幕僚人員，口袋中隨時要準備著老闆可能臨時要用到的東西，這是一個合理的解釋，所以沒有令人起疑。）

那麼爲什麼人找東西都是低頭找而不是抬頭找呢？這是有演化上的原因的。我們的視野（即眼睛所看出去可以看見的全部範圍）可以分成上下兩個部分。下面視野在視網膜上的神經元比上面一半的多很多，因爲在飛機發明以前，人類的敵人很少從上面來（恐龍時期人還沒有出現，到人出現後，鳥類都沒有人類大，不會吃人），但是地面上的敵人卻很多，而且走路如果不看地面，可能跌下山谷或摔得鼻青臉腫。因此，人在演化的時候，用到最多的地方，神經元就最緊密的排列著，甚至可以一對一的對應外面的世界，好像老鼠的鬍鬚便是與運動皮質區（motor cortex）上的神經元有一對一的關係。剪掉鬍鬚的老鼠無法覓食，也找不到路回家。

神經元的分佈充分發揮同化和調適的功用，所以人類在搜尋電腦螢幕上出現的光點時，光點在視野的下方，察覺的速度較快，出現在視野的上方則較慢，因爲視野上方的神經元較少，一個神經元要負責好幾個區域，所以慢。打越戰時，美軍就特別訓練士兵搜索時要頭往上抬，要注意樹上躲著的狙擊手，美軍曾在這方面吃過越共的大虧。

這個現象也延伸到我們日常生活的語言上，比如說高矮、大小、上下，雖然是相對詞，但在語言學上都有不對等的意義。假如我們問「一個人有多高？」別人在聽話時並不覺有別的意思，但假如我們問「一個人有多矮？」這意思就不一樣了！我們是暗示說這個人很矮，而我們問他究竟有多矮，在語言學上這叫「標記效應」。高、大、上是無標記的詞，而矮、小、下是有標記的詞，有標記的詞反應時間比較慢，這眞是一個有趣的現象。

心理學在國內一直不受重視，其實在國外它屬於通識課程，是一個文明人必修之課，因爲只有知己知彼，才可能百戰百勝。那個警察如果心理學修得好，大概也不必等到一年以後才破案了。（《謎人》雜誌第七期）

7 看到心智的運作

認知神經科學是近代科技整合後出現的新領域，它綜合了心理學、語言學、人類學、哲學、神經科學、電腦科學等各領域的學者，共同爲解開人類大腦之謎而努力。幾千年來，人類欲一窺其內在奧秘而不可得，現在因爲腦造影技術的進步，使我們可以在活人身上看到大腦線上的工作情形，它神祕的面紗正一層層的揭開。三百多年來，笛卡兒心物二元論的爭論現正逐漸塵埃落定，哲學界自亞里斯多德（Aristotle）以來最具爭議性的意識問題，也因睡眠與夢的科學研究而出現曙光。

我們神經系統的語言是電的，雖然眼睛看到的是光波，耳朵聽到的是聲波，但是在進入大腦後，我們能測量到的卻是電位的改變，就像在美國用美鈔，在香港用港幣，到了台灣，一定要在中正機場兌換新台幣才行得通。因此我們可以透過腦波的記錄了解大腦內在的活動情形。我們的腦波在清醒與睡眠時不相同，睡眠時四個階段的腦波也不同，可作研究。

大腦在睡眠時，會分泌重要的神經傳導物質如血清張素、正腎上腺素等，這些與我們的記憶、情緒都有關，當腦內的神經傳導物質很低時，我們會愛睡，情緒低落，無法將蛋白質轉換成記憶的碼儲存起來。所以現在知道蘇秦的「頭懸樑、錐刺骨」讀書方法是無效的，開夜車的效果遠不及早上起來讀的好。

過去，我們都以為睡眠時大腦在休息，現在透過核磁共振的腦造影，我們看到睡眠時大腦是在活動的。大腦就像 7-11 便利商店一樣，打烊了店門拉下來後，店員必須把貨物上架，第二天開張時才有貨可賣。眼睛雖然閉起來了，不再有新的訊息進來，大腦還是要忙著處理已經進來的訊息，所以經過一夜的整理與補充耗去的神經傳導物質，早晨起來時記憶最好，是心智警覺的高峰，因此重要的考試都排在早上，中國人也說「一日之計在於晨」。

在整個睡眠活動中，又以做夢為最重要，科學家認為夢與學習有關，做夢是把白天所學的東西重新加以擷取整理，去蕪存菁；如果不准做夢，學習的效果會嚴重受損。在沒有核磁共振前，我們是從動物實驗來推測，鳥類是自然界中唯一和人類一樣有腦側化（lateralization）現象的動物，牠們也是用左腦唱歌。如果把一隻在學唱歌的幼鳥，晚上注射麻醉劑到牠專管唱歌的神經核，使它無法活化，不能將白天所學的歌拿出來整理時，這隻鳥的學唱就嚴重受損。夢本來只發生在哺乳類以上的動物，鳥類不會做夢，但是在學唱歌時候的幼鳥有做夢，顯示夢與學習有關。嬰兒的睡眠時間比大人多很多，這多出來的時間大部分也是在做夢，因爲嬰兒出生後必須不斷的學習以利生存，每天有大量的訊息要處理，所以需要較長的做夢時間。

以色列做過一個實驗，將學了四十個生字的士兵隨機分成三組，一組可以安睡到天亮，一組須去外面夜行軍不准睡，第三組可以睡，但不准做夢，只要士兵眼球開始轉動，腦波呈現類似清醒時的腦波（我們稱爲快速眼動睡眠〔REM sleep〕）表示他在做夢時，便將他推醒。天亮後，要求這三組士兵回憶昨晚所學的生字，結果發現一覺到天明的記得最好，不准做夢的最差。因此，要學生學習得好，必須讓他睡得飽。最近，哈佛大學的報告發現連午睡對學習都有幫助，而且這效果只能歸因到第四階段的睡眠，與無聊、動機不足或疲勞都無關。看起來孔子罵宰予晝寢「朽木不可雕也；糞土之牆不可杇也」是冤枉了他。

一個成人一夜大約做四到五次夢。一般來說，人所做的夢是不記得的，只有快要醒時所做的夢才會記得。做夢時，全身肌肉是放鬆的，如不然，便會起來夢遊，將夢境表演出來。很多人剛入睡時會做下樓梯一腳踩空的夢，這是因爲人的肌肉需要五到十分鐘才能慢慢放鬆，當大腦急切要做夢而肌肉尚未放鬆，爲了避免夢遊，腦幹就送出指令，腳往前一蹬，肌肉就立刻放鬆了，從實驗上可以看到肌肉張力的消失與眼球的跳動是同步的。

另外，人的夢是彩色的，因爲夢是枕葉的活化。盲人的夢缺乏影像，眼球也很少移動，非洲塞內加爾及印尼的原住民做夢時眼球移動得很少，因爲原始部落的生活方式幾千年來無太大的改變，在刺激的接受與處理上不像西方人那麼多，故眼球動得少。這些證據都指向睡眠與學習的關係。所以，美國目前已有十八州將上學時間延後一個小時，務使孩子在睡飽了，精神狀態最佳的情況下，到校學習，以求事半功倍。

另一個因儀器的進步而帶給我們新知識的領域是大腦對語言的處理。語言是窺視大腦最好的窗戶，是了解心智活動最理想的模式，從誘發電位（event-related potential, ERP）的測量，我們看到語意不正確時大腦會產生一個負波（N400），文法不正確時大腦會出現一個正波（P600），當語意和文法都不正確時，這兩個波形都出現。利用這個技術我們可以探討更精密的語言處理歷程，尤其是中文有許多特性是別的文字所沒有的，如動、名詞同形等，可以進一步了解心智的運作。

另外，利用功能性核磁共振（fMRI）的顯影技術我們可以看到閱讀漢字時的大腦工作情形，我們看到大腦處理字音、字形與字義的地方。過去，有人誤以爲中文是個圖形文字，在右腦處理，這是非常錯誤的觀念，我們所有實驗都指出中文是在左腦處理，連視覺—空間性質的手語都在左腦處理；也就是說，只要它是語言，有語言的特質，都會在左腦處理。閱讀的腦功能研究也讓我們看到失讀症（alexia without agraphia），所謂閱讀障礙的孩子大腦功能異常的地方，可以發展一些補救的方法。

腦與心智是一體的，大腦中並沒「笛卡兒劇院」這樣的地方來專門處理心智的問題，臨床證據顯示大腦受傷，心智隨之改變。睡眠、夢與語言都是大腦處理訊息的一環，與大腦的其他功能一樣，與生存有關。二十一世紀是腦科學的世紀，了解腦功能是了解自我的第一步，認知神經科學的研究使我們對未來充滿憧憬。（《中國時報·時報科技與人文周報》）

8 勇敢的追求理想

我是先念法律再去國外轉念心理學的，我當時的困擾現在應該還會有人碰到，所以寫出來提供青年朋友參考。

中國人一向講求孝順，孝道最重要的就是順從父母的心意，所以我們從小就被灌輸要聽從父母的話，我也一直能配合父母的意思。但是到我考上台大法律系後，開始發現如果順從父母意思，自己就會很不快樂。當時台灣的司法不獨立，是統治者的工具，我不想念，但是一方面家裡不允許，另一方面大環境也不允許，很多研究所招生簡章上白紙黑字寫明「非本科系不得報考」，尤其當時念文法科的被視為二等公民，好像聰明才智輸理工科的一等，所以要在台灣轉院是一件很困難的事。因此我開始計畫出國留學，到國外轉行，不過心中很猶豫，不敢忤逆父母的意思。

幸好在大三時碰到一位好老師，他剛從哥倫比亞大學（Columbia University）回國，思想新穎，他告訴我們走自己的路很辛苦，但是很快樂，因爲能做自己的主人。他說父母比我們年長，理論上來說，會比我們早過世，一旦你順從的對象不在了，你的後半輩子該怎麼辦呢？人到中年再改行很辛苦，尤其人有因循苟且的本性，成了家就有家累，益發不敢放手一搏，最後便得過且過的虛度一生，臨死才來後悔。他勸我們不要到老了才痛恨自己當年沒勇氣，誤了自己的才華。他的話有如當頭棒喝，所以我大學一畢業立刻赴美留學，到一個學術自由的國家追求自己的理想。

初到美國時，因爲轉系無法拿助教獎學金，只好去做一小時二・六五美元最低工資的工讀生，負責打掃動物實驗室。感恩節、耶誕節時，美國同學都回家過節了，中國同學無處可去，所以仍然來校讀書。

當我去餵動物時，我會順便餵一下別人的動物，也順手清洗一下別人的籠子，因爲我母親總是告誡我們不要愛惜勞力，手伸出來多做一下對自己並沒有損失，多做多學，勤勞才會成功。沒想到有位教授因爲擔心假期動物沒人餵，親自來學校查看，他發現動物安好一切乾淨，便暗中注意，發現是我做的，而且沒有計較報酬，自動幫別人把該做的事做好，便把我找去，告訴我可以給我獎學金，包括減免學費。因此，我便在心理所安心的念下去。這個對我印象很好的老師，常額外教我念書之道及做實驗的訣竅，所以我四年就順利畢業拿到博士學位。

這一切，不過是我當時記得母親的教誨，舉手之勞多做了一點事而已。所以人生事很難講，在別人看不到的時候做的事，往往比正式場合的表現對你的影響更深。做人要講求表裡一致，誠實的對待自己和別人，這包括誠實的檢視自己內心的興趣，不計世俗的代價，勇敢的追求自己的理想。（《中國時報》浮世繪版）

9 以讀攻毒

馬上就要放暑假了，最近因爲SARS的關係，很多父母不敢讓孩子參加夏令營，但是炎炎夏日，大好時光浪費了很可惜，父母該怎麼幫助孩子規畫一個快樂又充實的暑假呢？

暑假是許多孩子企盼了一年的假期，所以不宜教死板的功課，必須讓他在遊戲中不知不覺的把知識吸收進去。所以父母可以讓孩子上午動腦筋讀他喜歡讀的書，下午動肢體玩他喜歡玩的遊戲或運動。許多父母說他不知道孩子的興趣在哪裡，很多孩子也說不知道自己的興趣在哪裡，這是件很糟糕的事，因爲孩子只有從事他有興趣的工作，才可能全心投入；只有全心投入，才可能出人頭地。很多人不知道自己的興趣在哪裡，隨著聯考分發，「花落誰家」就念了那個科系，糊裡糊塗過了大半輩子。

如果你不希望孩子如此過一生，請你花一點時間觀察孩子遊戲。孩子在遊戲時，最喜歡做的就是他做起來最輕鬆、最有能力的一項。知道他的興趣偏好之後，請你帶他上圖書館，補充他這方面的背景知識，使他可以更上一層樓。我們平常因爲上學時功課太重，無暇細細觀察，暑假正是找出孩子興趣所在的最好機會。

帶孩子上圖書館、激發他的好奇心，需要動一點腦筋，因爲學習最重要是情緒和動機，一定要找一個他想知道的題目，他才會對圖書館有興趣。我最常用的方法是：教他找出他出生那一天的報紙，讓他知道出生那天是「龍行有風，虎行有雨」，還是「衆星拱月」或是「天有異象」；再讓他看看當時台灣發生的大事，誰是總統，誰是當紅的影星，這通常會使孩子對找資料發生興趣。學會用電腦尋找圖書館資料後，就可以開始讓孩子看他有興趣領域的書。如果孩子沒有閱讀的習慣，父母要先引他上道。這個工夫絕對不會白費，他養成閱讀的習慣後，一輩子受用不盡。閱讀培養他的邏輯性，增加他的詞彙，使他在寫作文時有話可說，演講時能淸楚表達自己的意思。假如孩子對偵探推理有興趣，以後想走法律的路，就可以從懸疑小說著手，把故事講到最精彩時停下來，請他自己看。

麥克・克萊頓的《火車大劫案》就是一本很容易吸引孩子上手的書。這是一個眞實的故事，克里米亞戰爭時，英國每個月都要運錢去前線發餉，歹徒要劫餉，但是運餉的車廂是密不通風的貨車廂，錢鎖在保險櫃中，鑰匙平常是掛在英格蘭銀行總裁的脖子上，他親自運錢去前線。種種措施似乎是無機可乘，但歹徒仍然搶到錢，而且成爲英國歷史上最大的一樁搶案。歹徒用的是心理戰術，講到這裡就可以請孩子自己看了。孩子其實是喜歡被挑戰、也喜歡動腦筋的，天下謊話，只要不眞，一定有漏洞，偵探小說對孩子的推理能力是個很好的訓練。

暑假是補充孩子背景知識最好的時機，乘著SARS不能外出時，何妨去圖書館借書回家好好的看，「以讀攻毒」。（《中國時報》家庭版）

10 多元社會需要多元智慧

多元智慧的大前提是人不是通才，各有各的長處，小前提是人在社會上與別人競爭的是他的長處。所以，鼓勵長處的發揮會增加孩子的自信心與競爭力。當每個人都適得其所時，社會就會安定繁榮。其實，任何教育的願景都是希望人盡其才，物盡其用，一個人能有機會充分施展他的長才時，他才會快樂。而快樂的社會是由快樂的人民構成的，所以不論是我們中國的《禮運・大同篇》或西方柏拉圖（Plato）的《理想國》（*Republic*），強調的都是如何發掘人的長處，把他放到正確的位置上，施展他的才能，成就安和樂利的社會。

這個理念經過三千年到現在仍然是教育的最崇高理想。雖然世事變遷，但是現在的企業經營講的仍不脫上面那一套，打出來的口號仍然是「沒有不可用的人才，只有放錯位置的長才」，不論是古代的帶兵或近代的企業經營，「知人善任」一直是成功的因素。所以，「多元智慧」一詞自一九七〇年代提出後，三十多年來一直是各國教育努力的方向，每個國家因爲國情不同，推行的方式也不同，所以，我們可以借鏡他人的經驗，但是不能全盤接受他國的做法。

以我國來說，推行多元智慧最主要是必須打破傳統上「萬般皆下品，惟有讀書高」的錯誤觀念，只有當「天生我才必有用」、「行行出狀元」的觀念深入人心時，多元智慧才會成功。現在世界的潮流已經走向多元化的經濟發展，我們若再用古老的一元的智育教育培育我們的學生，他們一離開學校就會變成「淘汰郎」，被社會所淘汰，因爲學的東西已過時了。這句話聽起來像是危言聳聽，其實稍微一想便了解這便是我國競爭力節節後退的原因（現在已被當年第五名的南韓趕上了）。

美國有一份國家競爭力報告，其中特別強調培養多元化人才是面對二十一世紀挑戰的備戰措施，從一九六〇～八〇年這二十年間，科學資訊的總和是過去二千年的總和；從一九八〇年到現在，資訊又翻了一倍。當資訊迅速翻新，傳播速度一日千里，傳統觀念不停被挑戰時，國家的教育政策必須多元才足以應付隨時出現的不可測狀態。因此，多元化的教育要落實到生活中，教育與生活聯結就變成基本的教育方針。目前美國小學階段的教育還是以生活教育、品德培養爲主，知識性的課程是等到青春期智慧開啓以後才開始大量教，所以七年級課程在規劃上是個分水嶺。

小學時段注重品德教育與生活教育的原因，主要是近年來神經心理學的研究發現，嬰兒一出生時就已經有他一生所擁有的神經元，大約有10^{12}那麼多，嬰兒在出生以後大腦其實是在做神經元的修剪，將一些沒有和別的神經元相連接的多餘神經元修剪掉，而不是在長新的神經元。因爲大腦用到我們身體很多的能源，當能量耗費大過一定的比例時，演化會仔細計算它的成本效益，就像一個公司如果有一個部門特別花錢、成本高時，老闆會立刻計算它存在的價值，想辦法遣散冗員，以節省開支。

人的大腦大約三磅，占我們體重的二％，但是它用到人體二○％能源。胚胎時期，母體送過來的營養七八％是送到大腦，因此大腦不可能養沒有事做的細胞（其實，從這裡就看出來，人只用一○％大腦的說法是不正確的），必須把冗員都修剪掉以節省能源，修剪程度的多寡及神經連接的密度，就與以後這個孩子智慧的開展有關。

密西根兒童醫院的柴加尼醫生所做的正子斷層掃瞄研究顯示，嬰兒到十個月大時，大腦的活化程度就到了成人的程度，但曲線還繼續往上升，到四歲半、五歲時，到達成人的一倍半，然後從這頂點往下降，一直到九歲左右，降到成人的程度。這顯示童年期是嬰兒大量吸取外界訊息，內化成生存必要知識的重要時期，所以各國都努力在把義務教育的年限往下延伸到幼稚園，因爲大家都看到幼教對孩子一生品格培養、人格形成的重要性。

神經科學的研究又顯示一旦壞習慣養成，非常難改掉。神經連在一起形成迴路之後，即便很久沒有接受刺激，不曾活化它，這個連接仍然存在，三不五時會有「自然回復」（spontaneous recovery）的現象出現，只是這些已被消除的行爲，自然回復力道沒有那麼強而已。因此，童年時期建立良好生活習慣非常重要。最近的研究也發現童年時家庭是否和諧、父母是否離婚，對孩子成年以後的生理及心理健康都有很大的影響。更重要的是認知神經科學家發現，這一時期的學習是所謂「內隱學習」，即無意間的學習，它與外顯學習（explicit learning）——刻意的學習和學校教的各種學習——是來自不同的機制。

內隱學習是即使得了失憶症，這種學習能力仍然存在，例如著名的失憶症病人H.M.，在開刀切除癲癇放電的大腦區域後，雖然不記得醫生的名字和面孔，卻可以學習書寫從鏡子中反映出來左右顛倒字母所組成的句子。實驗者要H.M.抄寫他面前鏡子中呈現的句子，H.M.每次都抗議這件事太難，無法做，但是他抄寫鏡影的速度卻會因練習而愈來愈快。也就是說，他不知道自己有學習過，但是他的行爲卻顯示出他有學習的功效。因爲童年期的學習主要是內隱學習，童年的習慣會根深蒂固的跟隨孩子一輩子，所以「預防勝於治療」，如何培養良好生活習慣、正確的價值觀及高尚的品德，就成爲各國教育的重點。

因此，美國柯林頓（Bill Clinton）總統一上台，其夫人希拉蕊（Hillary Rodham Clinton）就開始推行親子閱讀，想透過閱讀加強孩子的生活教育，她寫了一本書《同村協力》（*It Takes a Village*，中譯本遠流出版），書中一再強調只有健全的國民才可能有富強的國家。英國也一直在推行社區圖書館，推動兒童閱讀，英國在孩子出生時就由政府贈送育嬰手冊一本及布做的嬰兒圖畫書二冊，九個月大時的聽力檢驗更設在社區圖書館，迫使父母帶孩子上圖書館。新加坡更將大賣場的樓上變成圖書館，內置故事媽媽，鼓勵父母在商場購物時將孩子放在圖書館，透過說故事來進行品德教育。這些都是藉閱讀的手段達到教育的目的，尤其是從閱讀各種不同人的成就中推動多元智慧。

廣泛的生活知識及因閱讀而來的背景知識是創造力的基本條件，閱讀培養邏輯性的思考方式，而邏輯性的推理是創造力的根源。清朝紀曉嵐被流放到新疆伊犁時，天氣乾旱，屯軍爲無水所苦，他看到四周無樹，只有城中有一棵老樹，枝葉繁茂，便命人從樹根處往下挖數丈，果然掘得一泉，解決了軍民的生計。這是個簡單的推理，樹必須有水才會活，這個老樹在沙漠中歷久而不衰，地下一定有水源，循根往下掘，應該會有地下泉，但是許多人就是不會如此推理。紀曉嵐比別人多的是他是三榜進士出身，讀了很多書，有邏輯性的思考能力。

豐富的生活常識也與創造力有關，一個建築師建了兩棟相鄰的大樓，落成後中間要鋪連接的步道，要如何鋪才會實用又美觀呢？他囑工人先鋪上草皮，三個月後，他依草皮被踐踏的深淺，在最深的那條路線上鋪上人行道，圓滿地解決了問題。因爲人走的次數愈多，草皮被踐踏得愈厲害，把這條路鋪上人行道就滿足了實際的需求，既保持最大量的綠地（美觀）又兼顧人行走的方便。

這些都是我們在日常生活上會碰到的例子，有創造力的人通常不是知識最深、最聰明的人，但是他一定是最有觀察力、知識最廣的人。因爲知識廣在神經學上代表的是各個神經迴路之間的連接很密，可以觸類旁通。

記憶在神經學上的定義是神經迴路的活化，當許多條神經迴路都被活化，共同的交接點就會產生新的點子的觸發，也就是所謂的創造力。記憶說穿了，就是熟悉度而已，一個很熟悉的東西表示它的迴路常被活化，很容易提取，就像馬路很寬大時，車子可以開得快，羊腸小道就只能慢慢行走。大腦中的電傳導也是一樣，神經迴路很大時，電流可以跑得很快，訊息很容易就提取出來；不常用的東西，在提取時則要想半天。但是熟悉度的代價是彈性或創造力，因爲馬路未形成，人會往四面八方亂走，往往會走出新的路來；一旦馬路已形成，很自然地，人往鋪好的路走去，就不會看到其他的可能性。這就是爲什麼創造力無法用補習班教，因爲人云亦云就不是創造而是模仿。

要提昇創造力必須打開人的眼界，讓他接觸不同的東西，促進他神經的連接，建立他的背景知識，使這些神經連成迴路。當這些根基打好之後，創造力自然會出現。所以創造力與多元智慧是有關係的，多元智慧使創造力所需要的觸類旁通容易出現。有一個很好的例子可以說明這一點。

當石油公司在深海探油時，通常需要先建立一個浮在海面上的平台，使工人可以在平台上作業。這個平台大得像個浮在海面上的小城市。平台的建立方法是先在海底打四個樁，固定好非常粗的鋼索，再將鋼索綁住平台，使它浮在水面上不會飄走。打樁時是用快乾水泥灌到海底地基的鋼管內。有一次鋼管底部的塑膠底脫落了，灌了一小時水泥都未滿，原來都從缺口漏出去了。因爲水深八千呎，人無法下到這麼深的海底換一個新的，正在一籌莫展時，有一個工程師想到一個很容易的解決方法。

那天餐廳開飯時吃的是通心粉，因爲工人都是義大利人，所以餐廳餐煮的是義大利通心粉，這位不是義大利籍的工程師一邊吃麵一邊抱怨，突然靈機一動，想到通心粉的特性，他立刻在船上做個實驗，將未煮過的生通心粉倒入管子中，加上水，這些通心粉在遇水後果然膨脹起來，當他連續鋪上好幾層通心粉後，管子底就被堵住，上面再灌水泥便漏不出去了。因此，公司立刻派出直昇機搜購市面上所有的通心粉，灌入海底後，果然解決了漏水泥的問題。

從這個例子我們看到解決千萬美元工程難題的，竟然不過是幾十箱的通心粉；但是能夠在吃通心粉的當時想到通心粉遇水膨脹的特性，把它從廚房中移出來，灌進海底，這就是創造力，也是我們現在在教育上一定要想辦法增加的一種學生能力。

從美國加州各高科技公司倒閉之迅速，讓我們體會到二十一世紀時代的考驗是冷漠的、不留情面的，我們若不能準備好學生的應變能力，讓他們出校門便能面對社會，是我們對不起學生，所謂「不教而殺謂之虐」。

多年前，我曾隨一個公家考察團去美國和加拿大考察它們的雙語教育。我們到波士頓的一所中英雙語學校參觀時，很驚訝地發現學中文的學生中，一個中國人的後裔都沒有，全是外國孩子。與校長交談之下，才知道美國的經濟學家預測二十一世紀，世界的經濟中心會往東移，所謂的「與太平洋邊緣接界的國家」（pacific rim），所以，爲了替他們的孩子準備好十年後進入世界貿易競爭的主流，這些外國人讓他們的孩子來上中文的雙語學校，學好當地的語言以利未來的貿易溝通。

我當時眞是非常震驚。他們沒有用好聽的大話如東方歷史文明的昌盛、東方藝術的精華等美麗詞藻來解釋，而是非常實事求是的說「我們的教育要爲十年後學生進入職場做準備，我們估計世界的潮流會往那邊走，所以我們先替我們的學生打好根基，替他們作好準備」。這才是一個負責任的教育部應該做的事——規畫國家未來教育的藍圖，使國家未來有可用之人才。

教育一定要依時代的需求而改變，時代在進步，我們教育孩子的方式也一定要有所不同。「以不變應萬變」是一句自欺欺人的話，世界的潮流是無情的，當世界在變而我們不變時，我們就被淘汰了，一九八〇年代王安電腦（Wang）的興衰是個很慘痛的例子。我們不但要順應潮流的變，還得站在潮流的尖端，引導它變的方向。以我們目前的教育方針來看，我們並沒有爲十年後學生進入職場作準備，我們甚至沒有爲五年後進入職場的學生作準備。

多元智慧是個正確的觀念，因爲多元化的社會對人才的需求必然也是多元性的。一個孩子只要有長處，不管是什麼冷門領域，將來必有飯吃。一個人最怕是什麼都會一點，什麼都不精。好玩者如曾政承，國中畢業就輟學，但是當他打電玩打出名堂來時，他就有前途了，尤其是他在得獎後，有了自信心，見過世面，就發覺自己英文能力不足，願意回到學校好好念了。

多元智慧要打入傳統的「讀書至上」社會需要一點時間，需要大人觀念的改變配合。我們在醫院中看到情緒障礙的孩子，他痛苦最大的來源其實是愛他的父母，是父母未能察覺到孩子的天性與長處而拚命把他往不適合的路上推。我們常勸告父母養孩子像放風箏，線要放得長，才飛得高。有些強人所難的事雖然現在看起來是爲他好，然而一旦孩子自殺了，所有的美意都變成悔意，因爲生命是不可以重來的。

如何找出孩子的長處，引導他上正途，快快樂樂過一生，是每個父母師長的責任。多元智慧的推動是後段班孩子重回社會主流的一條生路，我們最欣喜的莫過於一些本來考不上大學的學生因爲多元智慧的推行，使他得以甄試進大學，後來很有成就。相信任何人看到他們的作品展或演出後，都不會再懷疑多元智慧的正確性及功效。因爲多元智慧替後段班孩子找回自尊與自信，單憑這一點就足以奠定多元智慧在教育上的地位。

我們一定要記得，當孩子離開學校到社會上與人競爭時，他拿出去比的是他的長處，不是他的短處。在校的六十分或一百分，出了社會後一點意義也沒有，社會要的是能力與敬業態度。一個人的自信心建立在同儕對他長期的肯定上，只要有長處（哪怕是打電玩）就會贏得同儕的肯定。如果我們眞的要替我們的孩子打拚，就要看準未來社會的需要，在他的適才點（niche）上替他準備好，許他一個光明的未來。

11 以多元智慧改變教育目標

多元智慧主要目的在於擴展傳統對智慧的狹隘定義，除了語文和數學能力之外，將音樂、美術、體能、人際關係等傳統上不被認爲是智慧的層面也包括進來，使孩子各方面的才能可以被肯定。數學、語文能力強的孩子，在傳統的智慧觀念中是比音樂、美術有天分的孩子地位高，至於那些運動神經很好、很會打球的孩子，傳統上更是看不起，認爲是「四肢發達，頭腦簡單」。

因爲整個社會的風氣如此，因此很多這方面有才能的孩子的天分都被埋沒了，每天花很多時間做他不擅長的事，日子變得很痛苦。最近張老師做了一份調查，台灣青年學生有過自殺念頭的竟然相當高，而且國中生最高，這是一個警訊，也是爲什麼目前應該積極推動多元智慧的原因。

生物的多樣化有演化上的原因，目前已經獲得國際的認同，召開國際性的大會，制定規章確保地球生物永續生存的權利。這個生物多樣化的重要性在於一旦環境變遷，原來最適應的生物變得不適應時，它的多樣化會使生物有繼續生存下去的機會。這也是爲什麼高等生物都採取有性生殖的原因，因爲每次生殖，子代有一半的機會可以得到與親代不一樣的基因，這會大大的增加後世子孫適應不同環境的能力。

人也是一樣，我們需要不同才能的人組成一個多元化健全的社會，爲什麼我們只注意語文和數學能力呢？事實上，社會上大部分的人並不是靠他的語文和數學能力吃飯，絕大部分的社會中堅分子，當年在學校都曾因數學考試不及格挨過板子罰過站。語文和數學會讓他們吃足苦頭，厭惡上學，有著不快樂的童年，但是他們現在一樣在社會上工作，養家活口。假如我們把教育的目標放大一點，要的是快樂的兒童、健全的公民時，多元智慧的重要性就不言自明了。

目前台灣的學童都極不快樂，因爲生活中使他們快樂的東西很少，我們大人對於數理科的重視，使得他們所有清醒的時間都在中、英、數中奮鬥。我們中國人堅信「勤能補拙」，愈是數學不好，愈是要多做數學題目，白天上學做不夠，晚上還送到補習班再加強，但是因爲數學正是他最弱的地方，於是愈害怕愈不會，愈不會愈要做，如此惡性循環下去，孩子深陷苦惱深淵，就難怪這麼多的孩子有自殺的念頭了。多元智慧的好處是老師及父母從孩子能力強的地方著手，培養學習的興趣；有興趣以後，學習不再是苦差事，再推展到別的科目，借力使力，透過自己強的部分把弱的部分拉上來。

一個對自己能力有信心的孩子，才可能把他的潛能發揮出來，做老師的雖然都知道動機是學習最好的驅力，卻很少從誘發動機著手，因爲教學的負擔使我們做不到因材施教、諄諄善誘，更何況家長、校長要求的是升學成績，凡是聯考不考的科目，能力（成績）再好都白搭。因此，要推動多元智慧，還必須同時教育整個社會，必須改變父母的觀念，這個理想才能實現。

現代的工商社會已經逐漸打破「萬般皆下品，惟有讀書高」的觀念，我們應該利用這個時機推廣「行行出狀元」、「天生我才必有用」的概念，使孩子可以生活得更快樂些。現代科技的進步使我們看到，孩子的各項能力其實和他的基因很有關係，比如說，威廉氏症候群（William syndrome）的孩子因爲第七號染色體的長臂上少了十五個基因，導致他們幾乎沒有一點空間能力；但是這些孩子語文能力很好，能說善道。

又如現代科學讓我們了解到空間能力和男性荷爾蒙有關，科學家可以藉著操弄荷爾蒙提昇孩子的某些能力，現在更藉著腦功能造影的技術讓我們了解爲什麼有些孩子會口吃（口吃的孩子在說話時，右腦血流量比左腦大，而一般人是左腦血流量較大，這顯示功能分析與大腦資源分配上的不當，也說明了爲什麼左手的孩子硬將他改爲右手時，常會口吃），看到自閉症兒童、過動兒（hyperactive children）與失讀症（alexia without agraphia）的孩子其實都有大腦上的缺陷，知道了每個人天生大腦的結構不盡相同，每個人遺傳到的基因不盡相同，我們怎麼還能繼續用同一個模子套所有的學生呢？

我覺得教育最重要的是教孩子一個終身學習的觀念和「天下無難事，只怕有心人」的學習態度。現在科學進步之快，資訊的累積以等比級數的方式上升，即使是專業的研究人員都有趕不上之嘆，更何況一般的老百姓。假如一個孩子沒有學到終身學習的觀念，他很快就會被社會淘汰，一個老師再怎麼盡責的教，也只能教學生在學的這幾年時光，畢業後，他還有更長的路要走，更新的科技挑戰要面對，如果在學校學到厭惡學習，痛恨學習，那麼他的前途就可想而知了。

對於終身學習很重要的一個觀念是，要教孩子「精誠所至，金石爲開」，不要先劃地爲牢，說「我不是學這個領域的」，其實，只要肯學，沒有什麼學不會的，主要關鍵就是在肯不肯下功夫學而已。在台灣，研究所或資格檢驗考試常要求「相關科系」畢業才准報考，其實這個觀念是不對的，只要考得上，什麼科系畢業都沒有關係，王雲五不就是自修成功的人嗎？相關科系畢業的觀念，其實是與多元智慧與終身學習的主旨相悖的。因爲終身學習的第一要件是讓孩子知道，只要有學習的能力，沒有什麼學不會的，而人的一生會因外在環境的轉變，必須學許多新的技能來應對。

一九二一年，美國十四名專家坐在一起開了三天會討論智慧的定義，他們指出五項：第一，抽象思考的能力；第二，適應環境的能力；第三，適應生命新情境的能力；第四，獲得知識的能力；第五，從既有的知識和經驗中獲取教訓的能力。後來智慧的定義一再精簡，最後大家所接受的定義只有「一個基本的、能夠適應生命中新問題和新情境的能力」這一句話而已。仔細想來，這是對的，這正是多元智慧的精神，我們看到許多華僑在異國打出一片天地，不管是做什麼生意，他們都適應了當地的風土人情，在那個國家札了根，安身立命。在這些人中，符合傳統智慧定義的人少，符合多元智慧定義的人多。

事實上，有人說亞洲金融風暴台灣之所以會沒事，主要是台灣的生命力在民間的中小企業，不像日本、韓國是在幾個大財團手中。的確，看到台商走遍世界做貿易的精神，讓我們清楚的看出多元智慧的必然性，雖然大部分中小企業的董事長都是當年被罰站、被打手心的孩子。假如我們能夠學會不以學科成績判斷孩子的前途，我們的孩子會快樂很多，我們的社會也會比較多采多姿。

當然，要改變一個幾千年來的觀念不是一件容易的事。春秋戰國時代，孟嘗君幸虧門客中有人會學鷄啼，騙得了守關的士兵早開城門，得以及時逃出秦國。歷史上對這些門客頗爲不齒，稱之爲「鷄鳴狗盜之徒」，非常瞧不起他們的才能。事實上，如果生在今天學鷄啼能學到附近的公鷄一起呼應，讓守城的士兵以爲天亮了，大概也能去參加五燈獎之類的才藝比賽，至少他應該是個敏銳的動物觀察者、有天分的模仿者，如果讓他得其所哉，說不定會是個好的動物學家、生態學家。

其實，中國古代便是注重多元智慧的，因爲古代講求六藝——禮、樂、射、御、書、數，這其實就和現代多元智慧的精神不謀而合。只可惜，漢朝以後的人只注重讀書，把其他才能視爲雕蟲小技，這個影響一直至今天都還看得見，所以要改正一般人的觀念不是很容易的。但是，假如我們鎖定教育的目標是培養健全的國民，每一個人天賦的才能和性向都不一樣，一個多元化的社會應該有空間讓種種不同的才能和性向得以發展，如果社會能改變對「主科」（中、英、數、理）的偏見，我相信很多父母會讓他的孩子自由發展。

誰不希望自己的孩子有個快樂的童年呢？一個積習已久的制度是很難改變的，但是只要大家改變對傳統智慧的看法，這個制度就不攻自破了，就讓我們從多元智慧做起吧！

12 從科普閱讀到科學思考能力的培養

最近曾經到一所名校演講，題目是「夢與睡眠」。會後學生踴躍發問，但是問的多半是靈異方面的，例如心電感應、托夢破案、前世今世、轉世投胎、夢是否是預兆、心想事成是否爲眞等等非常迷信的話題。這些媒體炒作的題目出自一流學府學生之口，令我深深覺得台灣的科學沒有在學校裡生根。

科學不僅是知識的堆積而已，它是一種思考的模式，是一種批判的能力，這種思考的能力目前在我們學生中似乎非常缺乏。造成這個現象的因素有很多，但是歸根究柢我覺得是目前學生教科書以外的書看得太少，因此基本知識不夠廣泛，沒有區辨事物眞僞的習慣，更沒有批判性的思考以及獨立判斷的能力，所以當別人信口開河時，他自己的知識無法判斷這些訊息是否正確；又因爲沒有科學的思考方式，所以無法推斷別人的說法是否合邏輯。

我們的教學方式是課本知識與生活分家的，學生在課本上學的科學知識是專為聯考準備的，與日常生活上的應用毫無關係，因此才會有一流學府的高材生不知道如何檢驗蛋白，或醫師因為要照X光而開單要八旬老婦去驗孕。沒有統計機率的概念，加上科普的知識不足、媒體的煽動性報導，使得社會上瀰漫迷信、靈異之風，凡事不反求諸己，而到寺廟問鬼神，這個在九二一大地震之後尤其明顯，學生問我：如果不相信鬼神，如何解釋孫家兄弟被困了一三〇小時後，知道要往冰箱後面的空洞爬？

但是一個知識庫（knowledge base）的建立不是立竿見影的事，它需要長期的耕耘，我們的學生不看課外書久矣，要打破這種課外書無益說，或讓每個學生了解看書是有益的事，這個觀念不但要從學生著手，還得從校長、教務主任、老師著手，因為台灣雖然每個學校都有圖書室，但是學生借閱的比例卻不高，許多中小學的老師不但不鼓勵反而禁止，認為功課都做不完了，哪有這麼多「美國時間」看課外書。

其實台灣學生功課之所以做不完，是因為他們重複的做一些無聊、沒有創意的家課，例如抄寫課本、抄寫生字。一九八二年美國密西根大學（University of Michigan）的史帝文生（H. Stevenson）教授曾來台做了美、中、日三個國家小學生認知發展的比較，我國五年級學生做家課的時間是每週七七一分鐘，日本的仙台市為三六八分鐘，而美國明尼亞波利市是二五六分鐘，我們學生的家課是美國的三倍。

為了減輕課業的壓力，我們簡化了教科書，教科書的簡化卻造成理解上的困難；既然無法理解，又要考的話，只有把它背下來，考試時默寫上去了事，這樣一來反而增加了學習的負擔。其實背景知識就像一張篩網，網愈細密，新知識愈不會流失，老師說的話是一陣風，只有綿密的網可以兜住它。背景知識又像一個架構，有了架子，新進來的知識才知道往哪兒放。當每個格子都放滿了，一個完整的圖形就顯現出來，一個新的概念於是誕生。

背景知識也是「大師」和「生手」最大的差別。一盤殘棋給西洋棋生手看兩分鐘，然後要求他重新排出來，他無法做到；但是給西洋棋的大師看，他就能正確無誤的重新排出。是大師的記憶比較好嗎？當然不是，因為當我們把一盤隨機安放的棋子給大師看，請他重排時，他的表現就和生手一樣了。大師和生手唯一的差別就在大師有背景知識，使得殘棋變得有意義，意義度就減輕了記憶的負擔。這個背景知識所建構出來的基模（schema）會主動搜尋有用的資訊，將它放在適當的位子上，組合成有意義的東西。一個沒有意義的東西，很快就淡出我們的知覺系統。

那麼要如何增進背景知識呢？知識的來源有兩方面，一是自己的經驗，二是別人的經驗（這就是傳承的知識）。經驗的取得需要時間與精力，這是現代人最不能負荷的兩樣，因此，獲得知識最好的方法就是閱讀，在最短的時間內換取別的人經驗。

我想在國外教過書的人都有同樣的感覺：我國學生的基本知識比起國外同年齡的學生差了一大截，當他們沒有足夠背景知識時，實在很難要求他們作批判性思考。因此，台灣的學生被動的接受知識，不懷疑，不加判斷的全盤接受後表現出來的人云亦云，是最令人憂心的事。台灣已從過去替人加工的社會走入科技發展的社會，人力資源是我國最寶貴(也是唯一)的資源，人力資源的開發一向是先進科技國家最重大的投資，我們現在若不趕快鼓勵學生多看好的科普書，讓他們有機會建立一套有組織的心理知識庫，使他們能有一張篩選資訊的網，以培養他們獨立思考的能力，我們真的會像林則徐奏書上寫的「數十年之後全國無可用之兵」了。

國民的素質就是國家的財富，國力的指標，我們豈可掉以輕心！

13 面對二十一世紀的挑戰

在人類史上，知識的累積從來沒有像過去一百年來這樣的驚人，從一九六一～八一這二十年間所累積的知識，可以說是過去二千年的總和；從一九八一年到現在，知識又幾乎增加了一倍。難怪大家說資訊爆炸，因爲現代知識的增加已經超越一般人可以負荷的能力，是前人無法想像的。比如說，在二十世紀開始的時候，萊特兄弟（Wright brothers）剛發明滑翔機，一九二七年林白（Charles Lindbergh）便駕著單引擎飛機「聖路易精神號」飛越大西洋，而一九六九年七月人類更登上月球。尼爾・阿姆斯壯（Neil Armstrong）當時說出了所有人的心聲：「我的一小步，人類的一大步。」短短幾十年間，人類從不會飛到飛上月球，這種知識的累積與科技的進步眞是驚人。

又本世紀初的時候，我們對生命的本質、來源、結構都很不了解，人的平均壽命才四十八歲，連血型有種類、不能隨意輸血都不知道。但是到一九五三年，華生（James Watson）和克里克（Francis Crick）卻發現DNA的雙螺旋結構，開啓了分子生物學的大門。人類也是在短短的幾十年間，不但壽命延長到七十五歲，而且有複製人的能力了。一九七七年，英國成功的用成年的乳腺細胞複製出一頭羊，推翻了生物學上成年細胞不再分化的定律。最近馬上要解出人類二十三對染色體的基因序列，可以製作基因晶片以比對遺傳上的疾病。人類從萬物之靈變成可以被另一個人類所設計訂製的生命，這個知識的累積不可謂不驚人。

當然，電腦的發明是這些科技突破的大功臣，二十一世紀最大的挑戰將會在生物科技與電子資訊方面。電腦使我們將記憶存放於外界，不再受到生理的限制（人腦只有三磅重，大約有10^{12}～10^{14}的神經元），人腦發明了電腦，電腦又反過來研究人腦。科學家把人腦稱爲人類最後的一塊蠻荒地，我們可以複製出一個一模一樣的人，卻不能使這兩個人有一模一樣的記憶。人體什麼器官都能移植，卻不能移植大腦。如今人腦最後的解碼就落在電腦身上，人類的基因圖因爲有電腦幫忙，才可能在短短的幾年之內將序列排出。

因爲知識的快速累積，科技的突飛猛進，科學家對於未來世界的預測都不敢超過五年，有人甚至連預測二年後會變成什麼樣都不敢（還記得這兩年e-mail和大哥大的普遍情形嗎？），因爲科技的進步呈等比級數上升，人類無法看到那麼遠。我們的祖先無論如何都不可能預測到今天我們生活的方式；不要說祖先，就連生在本世紀，在馬來半島叢林中躲了四十年的人重回人間後，也不敢相信人類的文明可以在二次世界大戰後進步得這麼快。

科學上的發明可以進步這麼快，最主要是因爲人類的知識可以累積，我們有文字，可超越時空的阻隔，將前人一生研究的心血記錄下來，流傳到後世，使我們可以站在他們的肩膀上，看得更高、更遠。還記得牛頓（Isaac Newton）說他是站在巨人的肩膀上那一段話嗎？一個人的生命是有限的，如果沒有前面無數人的努力，我們今天不可能坐在這裡享受這麼進步的科技文明。因此，面對二十一世紀資訊爆炸，唯一的武器便是閱讀——在最短的時間內吸取別人研究的成果。閱讀是目前所知唯一可以替代經驗使個體取得知識的方法（這裡所指的知識是已被內化、隨時可以取用的東西）。

我們吸取外界知識一般來說有兩個管道：聽和看。因爲聽覺是時間性的，時間流過去，聲波就消失，因此，除非大腦中已有背景知識的架構，可以捕捉這些聲波，使它意義出現，不然有聽沒有見，好像在聽外國人講外國語一樣，雖然很努力聽仍然無法重複。一般俗語所說的「鴨子聽雷」指的便是這個現象，因爲不了解意義，聽過聲波消失後，便無法在大腦留下記憶的痕跡。（對於記憶的處理，一般可以分爲工作記憶和長期記憶，訊息經過工作記憶的處理後，轉存入長期記憶，而工作記憶需要動用到先前的背景知識或認知架構幫忙處理新的訊息。）

視覺是空間性的，閱讀比聽講更能夠吸收知識，原因是文字不會像聲音一樣消失，碰到文意不懂時，眼睛可以回去再看，這使訊息的吸收能依照自己的步調進行。這就是為什麼在聽演講時最能夠看出一個人對某個領域的功力，一般來說，教授聽的比博士班學生多，博士班又聽的比碩士班學生多，而大學生聽專業演講大約只能聽到兩三成。

在這裡，我們清楚的看到背景知識的重要性，它提供我們鷹架，讓後來的知識可以往上爬，進入它應該被放置的位置。這也是為什麼我們的學習不是一個連續性的曲線，而是學習到某一個程度時，豁然貫通，使自己提昇到另一個境界，也就是心理學所謂的頓悟——當所有的知識都放入恰當的背景架構中時，一幅完整的圖像才會浮出，我們才會恍然大悟，原來先前這些知識彼此的關係是這樣的，原來這個主題眞正的意義在這裡，於是這個主題的知識便內化成為你所了解的東西，可以經由你自己的口，說出來給別人聽了。這個知識即使被改變成很多不同的形狀，你還是認得它，不會被它外表的形狀所矇蔽，你自己也能任意變換描述它的方式而不失眞。這就是為什麼眞正懂的人，可以深入淺出的把一個困難的概念講得別人聽得懂，而半瓶醋的人往往說得天花亂墜，而聽的人卻覺得不知所云。

在研究所裡，我們常叫學生上台作報告，當一個學生可以不看講稿侃侃而談時，他所講出的是已被他自己吸收、內化了的知識。在學習上，我們深切希望能作到這一點，因為一個死記背誦的知識是無法轉換的，而無法轉換的知識是無法觸類旁通、引發新的知識的。知識的不足，使得我們的學生無法達到批判性思考的地步或做出獨立判斷的能力，假如你不知道別人講得對不對，如何能做出任何的判斷？假如你不知道這個事情的來龍去脈，如何能對它提出批判性的思考？目前我們的社會上充滿盲從、人云亦云的現象，最基本的原因就是我們國民的知識不夠，不足以作有智慧的判斷。這一點是目前大力推動閱讀最主要的原因，要使台灣成爲科技島，國民的基本常識一定要提高，而閱讀便是提昇這個能力最簡便、最快捷的方式。

閱讀的好處不只是它打開了一扇通往古今中外的門，讓你就自己的時間、自己的步調遨遊其中，它同時可以刺激大腦神經的發展，使你的大腦不會退化。最近的研究發現，義大利北部文盲和讀過五年書的老人，在阿滋海默症（老人失智症）上的比例是十四：一，也就是說，讀過幾年書、可以看報紙的人，得阿滋海默症的機率就比不認得字的人少了十四倍。十四倍在醫學上是個很大的差距，有沒有動腦筋造成了這個差別，因爲大腦的神經元基本上是用進廢退的。

從猴子的實驗中，我們發現當把小猴子的中指頭切去，原來掌管中指的神經便會朝兩邊伸過去掌管食指和無名指了，一個人的手臂出意外截肢以後，原來的手的神經便會伸到別的部門去管別人的事。神經不會無所事事，一個沒有與別人同步發射過的神經元會被修剪掉。閱讀時，每一個字會激發其他的字，會聯想到過去的經驗，你的神經會像骨牌效應一樣，一個牽動一個，發射起來形成綿密的神經網路。

閱讀的另一個好處是增加個體受挫折的能力，減少心理上因無知而造成的恐懼感。在遭受到打擊時，我們第一個反應常是「爲什麼是我？（Why me?）」認爲上天對自己不公，開始怨天尤人，一個人如果把精力花到怨怪別人身上，自然沒有餘力思索解決問題之道；而且因爲大家都不喜歡與愛抱怨的人在一起，所以這個人就愈來愈孤獨，愈落單；一個人獨處時就愈會鑽牛角尖，愈怨嘆就愈沒有朋友；惡性循環之下，憂鬱症就出現了。其實，太陽底下無新鮮事，大部分的事情以前都發生過，只是時間、地點、人名不一樣而已，這是爲什麼讀歷史可以以古鑑今，幫助我們解決現在的問題。閱讀別人的經驗，可以幫助我們克服現在的困難，激勵自己再出發。

同時，人一旦發現別人也和自己一樣受過這個苦，心中不平之氣就會消滅許多，這是爲什麼在醫療上「支持團體」（supporting group）這麼有效的原因了。所謂同病相憐，一旦人感到自己沒有那麼孤單，挫折感就減輕了一半，就比較能正確的面對問題。

無知時，我們會很感恐懼，算命的流行就是因爲人對未來的不可預知，造成心中的恐懼感，使得人願意花錢買一個心靈的平靜（大部分的算命是報喜不報憂）。事情不論多壞，如果知道該怎麼處理，我們就不會焦慮、害怕。我們可能會憤怒、悲傷，但不會惶恐、不知所措。那麼，怎麼樣才可以減少自己因無知所引起的焦慮？答案仍然只有閱讀，從了解問題本質尋求解決之道，從別人的經驗取得教訓。

我們說：讀書可以改變氣質，這個原因是讀了很多書，視野變得寬廣，不會再爲芝麻綠豆小事煩心，眉頭不會深鎖。知識淵博，使你對問題有很多的解決方式，你的成竹在胸，使你談吐有物，進退得體，這便是風度和氣質。氣質必須經過讀書的薰陶，急促是不可得的，也無法作假的。

最後，閱讀帶給你最大的好處是別人偷不走、搶不掉的知識，這個儲存在腦裡的知識讓你隨時可以拿出來把玩，它使你在看山是山、看水是水時，能夠進入更高的意境，使你在任何時候、任何地方都能夠怡然自得，做到歸眞返璞、終身不辱的境界。

因此，作一個高中生，現在應該準備的是語文能力和組織能力。之所以需要語文能力，是因爲全球科技的進步，已經拉近人們的距離，朝發夕至已經不是新聞，而是日常生活的一部分。地球村化的結果是做到古人說的天涯若比鄰，尤其是台灣加入世界貿易組織（WTO）後，外國人會紛紛湧入台灣做生意，國際語言的能力是我們必備的，有了它才能與外國人溝通，才能上網搜尋別國的資料充實自己。

之所以需要組織能力，是因爲現在所有的資料都在網上，下載便可，但是如果沒有組織能力，呈交出來的便是「資料彙集」而非「心得報告」。資訊太多了以後，必須知道取捨，並從取下的資料中找出彼此之間的關係，整理出自己的創見。這個趨勢已明顯可見：各個大學逐漸走向開放式的考試，老師出題後，學生回去上網找資料找答案，複誦式的記憶已經落伍了。

我們前面說過，電腦的記憶體比人類的大幾百倍，而且一再取用不會變形，因此，現代的教學已不再要學生死記，現在要的是組織能力，將前人或別人的東西轉化爲你自己的。閱讀使你爬上前人的肩膀，有了這個能力你才能夠在爬上去後不掉下來，並且可以高瞻遠顧，有一番創見。（《社教一〇一雜誌》，二〇〇一年二月）

14 創造力與閱讀

在科學上，發現、發明與創造的層次是不一樣的。發現是東西已在那兒，只是他是第一個知道的人。例如哥倫布（Christopher Columbus）發現新大陸，新大陸並不因爲哥倫布而存在，它已經在那裡了，哥倫布的偉大是在那個時代，他有勇氣航向未知（unknown），從而到達別人未去過的地方。

發明在原創性的層次上就比發現高，因爲發明所需要的原料已事先存在，但它的組合卻是非常的原創性，例如佛萊明（Alexander Fleming）的發現盤尼西林：一九二八年佛萊明在倫敦聖瑪莉醫院，發現培養皿的細菌遭到污染，上面長了綠色的黴。一般人會抱怨自己運氣不好，實驗不成功，只好倒掉，就像農夫看到田裡有野草一樣，是免不掉的無可奈何之事。但是佛萊明在倒掉的一剎那看到黴菌旁邊有一圈沒有葡萄球菌，因此推想這個黴菌可能可以抑制細菌的生長，從而發現了盤尼西林。也就是說，盤尼西林是已存在於自然界的，但是觀察力好、思想敏銳的科學家，看到別人沒有看到的東西，想到別人沒有想到的用途，所以佛萊明是「發現」了黴菌，「發明」了用途。

發現是時間上早晚的問題，如果哥倫布不發現新大陸，當航海技術進步時，別人一定也會發現（事實上，現在已有人主張挪威的維京人比哥倫布更早到達美洲，也有少數人認爲東晉的法顯曾到過墨西哥海岸）。盤尼西林如果沒有在一九二八年發現，以後一定也會發現，因爲它已存在於自然界中。這也是爲什麼時間對科學家來說很重要，都要搶先發表，華生和克里克在一九五三年「發現」DNA的雙螺旋結構時，全世界已有很多實驗室在做，美國加州史丹佛大學（Stanford University）的波林（Linus Carl Pauling）就只差一點，功虧一簣。

發明就不一樣了，它是東西並不存在，因爲有這個人而使東西出現，例如愛迪生發明電燈泡，本來這個世界上並沒有電燈泡這個東西的存在，因爲有了愛迪生，所以電燈泡才會出現，這個層次就比發現高了很多。在生活上，我們時常不區分發明和發現，其實這兩者在原創性層次上不同。不過愛迪生如果沒有發明電燈泡，別人遲早也會發明，因爲製造電燈泡的條件已存在於社會之中了（富蘭克林已從風箏中知道電的導性，法拉第〔Michael Faraday〕電解定律也已出現，化學元素和金屬材料的屬性也已知道，可供很多的實驗）。

因此，只有創造這一項是屬於最高層次的原創性，它帶有濃厚的個人色彩，沒有這個人就沒有這個東西，例如世界上如果沒有畢卡索（Pablo Picasso）這個人，就不可能有畢卡索的畫，如果沒有舒伯特（Franz Schubert）這個人，就不會有舒伯特的音樂，這種創造力是有獨特性的，沒有人可以取代的。所以藝術人文方面的創造力叫創作，而科學上的創造力叫發明。

創作與發明都需要一個基本的能力：觀察力，但是在科學上，除了觀察力還要有正確解釋這個觀察到的現象的能力——這就需要邏輯推理能力和背景知識。例如伽利略（Galileo）從望遠鏡中看到月球表面有陰影，但是陰影中有一些亮的光點，這個光點會逐漸擴大，最後與其他亮的地方結合為一，他就推論月球表面一定是凹凸不平，像地球表面的山一樣，當早晨太陽昇起照在山頭時，山頭是亮的，山腳下還是陰的，太陽愈爬高時，陰影逐漸退去，最後當太陽到天頂時，整個山都是亮的，月球並不是像當時人所想像的是個平滑的圓球。現在我們知道伽俐略的推論是正確的。

又如達爾文（Charles Darwin）看到海島上有很多淡水植物，這些淡水植物是怎麼傳到這個無人海島上呢？一個最合理的解釋是鳥爪上沾有一些泥巴，泥巴中含有植物的種子，當鳥類前往海島覓食時，不經意的把這些種子傳播出去。為了證明這一點，他到他家附近的池塘中挖了三湯匙的泥土放在咖啡杯中，帶回書房觀察，每長出一顆植物就把它拔出來，使別的植物有空間可以生長，這樣觀察了六個月，他總共拔出五三七棵植物。在這小小的咖啡杯中，可以長出五三七棵植物，他就確定鳥爪中一點點泥土，有可能帶有植物的種子到遠方的海島了。

所以一個科學家不只要有觀察力，還得有正確解釋這個觀察到現象的能力，最後還要有以實驗驗證自己的假設是否正確的能力。在這裡，我們看到背景知識的重要性，它是創造力的基本條件。

諾貝爾生醫獎得主梅達華爵士（Sir Peter Midawar）說過，一個人只要有很好的普通常識（即背景知識）和一般的想像力，就可以成爲一個有創意的科學家，你不一定要很聰明（clever），但是你一定要對某些東西很有知識（clever about）。聰明是天生的，我們沒有辦法改變；但是智慧是後天經驗累積的，是我們努力可以達成的。

首先，從神經學的研究上我們知道，經驗可以影響神經的連接，而神經連接的密度與觸類旁通、舉一反三的創造力有關。所以經驗可以影響創造力。經驗的取得有兩種：自身經歷的經驗，與閱讀內化而來的前人經驗。

我們的大腦在出生時有一兆（10^{12}）的神經元，其實是比我們需要的多，因爲腦用了它重量十倍的能源（大腦占體重的二%，但是用掉二〇%的能源），所以人在出生後就開始把不需要用到的神經元修剪掉，以節省能源。我們的每一個神經元可以與別的神經元有一千個以上的連接，因此大腦就像紐約市的電話總機一樣，是個非常繁忙的網路。這個網路連接的有效性就決定了我們的智慧。比如說，常常打的電話會有直撥的捷徑，不再需要轉接，而一個許久不打的路線便會被別人借去用。所以要有創造力必須有四通八達密切連接的神經網路，你在看到一個東西時，這個東西所激發的電波能引發別的神經迴路活化，這條迴路又激發另一條與它有連接、但是與第一條沒有連接的神經迴路活化。這一趟下來，神經網路愈密的人，他的點子就愈多，創造力也愈強。

在心理學上我們對創造力的定義是「從兩個不同的東西找出第三個新的用途」，這個定義在神經學上就是兩個神經迴路連到一起，激發了第三個神經迴路。歷史上很多的發明都可以用「靈光一閃」形容當時的情境，這個靈光一閃可以說就是電流碰觸在一起擦出的火花。因此神經連接得愈密就愈有激出火花的可能性。

有一位年輕的住院醫師，在替糖尿病人清洗因爲血液循環不良造成下肢壞疽的膿血時，病人因痛大聲呻吟，被路過的主治醫師聽到，進來責罵他笨手笨腳。當他垂頭喪氣走出病房時，蒼蠅卻成群地圍繞著他手套上的膿血飛，他突然靈機一動，想到蒼蠅的幼蟲正是吃腐肉長大的蛆，如果把蛆消毒好，放在病人組織壞死的部分，蛆會把腐肉吃乾淨，又不會傷害到好的組織；沒有傷到好組織，病人自然就不會呻吟。後來這成爲清除病人壞死組織很好的方法，他也因此發大財，造就了一個雙贏的局面。

在這裡我們就看到兩個完全不相干的東西（病人和蒼蠅），連在一起時卻想出解決病人不時要刮去腐肉才能上藥的痛苦。所以我們看到創造力並不需要高深的學問，卻需要寬廣的背景知識（知道蒼蠅的幼蟲吃腐肉不吃新鮮的肉），還要有勇於嘗試的精神。

何大一發明雞尾酒的愛滋病治療法也是一樣。他當時只是年輕的醫生，看到愛滋病的病毒轉換形態非常快（是少數可以有性生殖的病毒，一交配便產生新品種），所以想到像調配雞尾酒一樣，各種酒都放一點，他將殺死各種ＨＩＶ病毒的藥結合在一起，一次給病人，在病毒有機會轉型前，將病毒殺死。他成功後，許多資深的醫師非常驚訝自己怎麼當時沒有想到可以這樣做。

在這裡，我們也看到爲什麼創造力會和年齡成反比。年紀愈大，神經迴路愈定型，碰到問題時通常只能想到一個過去熟悉的解決方法，因爲經驗告訴我們那個方法最好用，而經驗正是使神經迴路定型，將沒有連接過的神經元消除的機制。因此，我們看到大人做事迅速果斷，但是這個速率的代價是創造力與彈性的缺乏。

另一個與創造力很有關係的便是閱讀，因爲閱讀使我們的想像力超越時空的限制，飛到

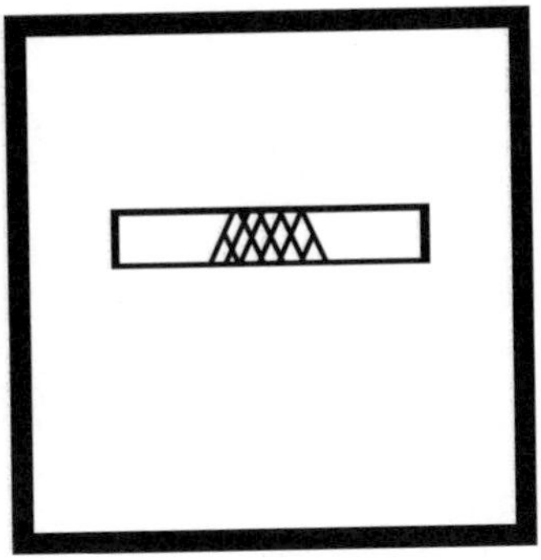

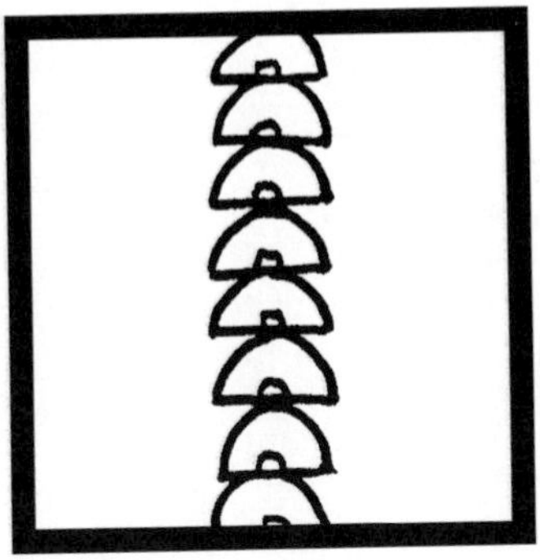

更遠的地方。我們從兒童創造力的研究中看到，想像力其實不脫他生活的經驗，叫孩子想像一個新產品的用途，他常常是只能從他所見所聞的方面想像；但是當孩子可以閱讀時，書本就打開了他另外一個世界。

例如上右圖，大部分孩子在作創造力測驗「看圖說話」時會說「香煙」，但是一個小女孩說「從運鈔票的車子裡看艾菲爾鐵塔」，問她是否去過巴黎、看過艾菲爾鐵塔時，她說：「沒有，但是在書裡有看過。」也就是說，閱讀讓她看到別的孩子所不能想像的東西。

或是如上左圖，這個小女孩說是愛斯基摩人的公寓，回答得非常好。當實驗者問她有沒有去過阿拉斯加，她也是回答：「沒有，但是在書裡看過。」在這裡我們清楚的看到，閱讀提供了這個孩子想像的翅膀，讓她的想像力超越周邊生活經驗的限制，無遠弗屆。沒有想像力就沒有創造力；而閱讀，正是創造力的基石。

英國的教育部長布朗凱（David Blunkett）曾說「閱讀解放我們的心靈，讓我們的心智翱翔」。一個有創造力的心靈必須是自由的，它必須不受束縛，而閱讀正是解開它的束縛、使它飛翔的金鑰匙（the golden key）。在談創造力的今天，讓我們從創造力的基本做起，鼓勵孩子閱讀，打開他心靈的世界，放他高飛翱翔。（《東元文教基金會會訊．創造力教育專輯》，二〇〇三年四月）

15 超越恐懼靠教化

二〇〇三年的SARS事件像個黑夜中的照明彈，將披著文明外衣的人類動物本性全部暴露出來。人們為了保命，在極度恐懼下，平日沒想到的所有的不合理行為都出現了：有國中學生家長怒斥和平醫院護士之女，威脅她再來上學「就去法院告你！」完全不理睬母親並未與女兒同住的事實；從疫區回來的人統統被當作瘟神，夫妻不相認，手足不進門；在公共場合，只要清一聲喉嚨，四周人群逃逃夭夭……。

每天在報上看到這些行為時，都使我想起達爾文，畢竟我們跟猿類分家只是六百萬年前的事，眾多地方仍不脫動物本性，只是科技與文明使我們在外表上變得文雅了而已。引發這些醜陋行為的動物本性，就是恐懼。

恐懼是演化上最原始的保命本能，所有動物在極端恐懼時都會僵住不動，因為許多獵食者的眼睛只對會動的東西敏感，一旦靜止不動，這個獵物就融入環境中，看不見了。但是如果持續僵住不動將自己暴露在外，仍會送命；因此，恐懼的第二個反應是瞳孔放大，注意力集中，大腦立刻將不相干的訊息統統排斥在外，全心全意處理保命有關資訊。所以，人一緊張，食慾、性慾等立刻被壓抑，所有血液流到四肢準備逃命，動物或小孩子還會把膀胱的括約肌放鬆，將尿排出，因爲水很重帶著逃命跑不快。這些都是本能的恐懼反應，不需經過大腦思考的。

處理恐懼的大腦部位是皮質下的杏仁核（amygdala），這個部位也是個相當原始的腦，屬於老的皮層。一隻杏仁核被破壞的老鼠是沒有恐懼感覺的，如果把一隻老鼠放進地板通電的籠子電過牠以後，牠永遠不敢走進這個籠子，但是一電擊完立刻將這隻老鼠的杏仁核破壞的話，這隻老鼠下次還會走進籠子，因爲牠沒有了恐懼的感覺。

凡是與生存有關的學習，通常是一次學習（one-trial learning），刺激和反應聯結一次以後，永生不忘。所以毒老鼠的藥都是劇毒，一點就足以致命，因爲假如第一次沒有把老鼠毒死，牠永遠不會再嘗第二口。這也是爲什麼所有的動物都偏好童年食物，因爲只有來自母親的食物可以放心大膽的吃下去，不會危害生命；童年沒有吃過的食物如起司，長大後再吃時，都得經過「培養」才會喜歡。這個培養其實就是演化上保命的過程，老鼠在嘗不熟悉食物時，是先吃一小口，二十四小時沒有死，再回來吃一小口，逐漸習慣這個味道，等這個味覺與安全感建立好關係以後才敢大口進食。

從這裡我們看到，凡是與生存有關的行爲，都有一種近似本能的方式保護著我們。了解這一點，對這次SARS來襲時，人們匪夷所思的表現也就可以理解了。當人們看到的是我的性命vs.你的性命時，種種的不合理行爲就變得理所當然了。所謂「時窮節乃見，亂世見忠貞」，在危急時所表現出來的忘我、大我精神是眞正的情操和節操，很多人看到念國中的兒子對感染到SARS的父親作口對口人工呼吸的急救時，都感動得熱淚盈眶，因爲他的孝心使他忘了自己的安危。

二十世紀初美國最有錢的花花公子艾斯特四世（J. J. Astor IV），一生沒有什麼令人看得起的地方，除了他的信件只要信封上寫著「世界最有錢的人收」，郵局便會把信送到他手上；但是一九一二年四月十五日他在歷史上留下一席之地。那天，他讓全世界人看到什麼叫文明社會的人道精神。當年他帶著三個月身孕的新婚妻子度完蜜月從倫敦返紐約，搭上了鐵達尼號，當鐵達尼沈沒時，船長特地保留一個位子給他，他等到所有婦孺都上救生艇以後才上去。正當他要跨上救生艇時，一位住三等艙的婦女衝上甲板，他立刻將他的位子讓出來。他太太也起身要跟隨他，他拒絕了，冷靜地對太太說：「好好活下去就是取悅我的方式。」他點燃一支煙，轉身對太太說：「親愛的，以後見（see you later）。」

我看到這一刻，前面對他的負面評價都消失了，這是西方騎士精神的極致表現，這次SARS時，開公車運送護理人員往返醫院與隔離區的人員也是一樣偉大。危急時，站出來志願服務，尤其是後來犧牲的替代役軍人，令人非常的感動。所以在這次SARS事件上，我們看到了兩極化的人性：一是極度恐懼而顯現的自私行爲，另一是忘我無私的利他行爲。那麼，我們該如何使大部分的人超越他的本性而趨向大公無私的利他行爲呢？這就要靠教化，誠如《非洲皇后》（*Africa Queen*）一片中，凱薩琳・赫本（Katharine Hepburn）對亨佛萊・鮑嘉（Humphrey Bogart）說的「文明就是使人超越原有的動物本性」，我們必須靠教育讓人們知道恐懼的本質，以及它如何影響我們的判斷力，從而控制自己的恐懼感，努力看清眞相。

此次SARS一來時，因不知道傳染的途徑，以爲是空氣傳染，人們非常的驚恐，做出十分非理性的行爲，但是在新加坡醫生搭乘德航飛機，同機乘客在十四天後並無人感染，多倫多婦人搭機返加拿大同機也無人感染後，我們的邏輯推理讓我們知道空氣傳染的機率大大減低，最可能的方式是接觸傳染，只要不接觸病人，得病率就很小了。因此，自然就不緊張了，這是平日理性教育的重要性，理智幫助自己不爲恐懼所控制，另一個消除恐懼的方式是準備好對策，也就是所謂的「成竹在胸」，能做到兵來將擋，水來土掩，自然就不害怕，也就不會有非理性的行爲出現了。

從這次SARS事件，我們淸楚看出醫療及教育在制度上的缺點，亡羊補牢，來者猶可追，我們必須檢討爲什麼美國疾病管制中心（CDC）的人員會說這是個行政問題，不是醫療問題，我們行政制度爲什麼無法動員，第一線人員爲何沒有保命的基本防護設施。這些都檢討過以後，我們要問一個基本問題：我們的教育失敗在哪裡？爲什麼會有非理性及迷信的行爲出現。如果我們眞的能做到這一步，這次枉死的人也就值得了。

16 最有效的語言學習方式

最近扁政府宣布要提倡英文，六年之內，所有的公務員都要會說英文，不然考績乙等。消息一出，使得英語補習班成爲百業蕭條中一支獨秀的行業，尤其是打著「雙語」旗幟的幼稚園生意特別好，收費之高可以超過醫學院的學費。目前以洋人任教的幼稚園最賺錢，哪怕洋人只是在父母來接孩子之前一個鐘頭才來上班都沒有關係，他們只要陪著孩子玩遊戲給父母看到，父母就心甘情願掏銀子了。

其實，我們應該靜下來好好檢討一下台灣的英語教學，爲什麼學了十年以上的英文，我們的大學生講英文還是舌頭打結，有口難言。或許，我們應該倒過來想，如何才是有效的學習英語方式，畢竟，正面的建議比負面的批評有效力。

學語文，最重要的是環境。孩子浸淫在說那個語文的環境中，每天耳濡目染，尤其是他學到的生字，馬上有用到的地方，很自然的，這個語文就朗朗上口了。我參觀過美國和加拿大的雙語教學。看到他們的孩子都能用純正的中文和我交談，非常的驚訝，原來他們的雙語不是一週幾節課，而是每天的上半天或下半天所有的課都用這種語言，不論是數學、社會、自然都用同一種語言。孩子生活在這種語言中，發現同一個字可以如何應用在不同的地方，因此，對這種語言都掌握得很好。

學語文另一個重要的條件是閱讀。閱讀時，同一個生字會反覆的出現，使孩子由陌生到熟悉。熟悉代表著孩子大腦中對這個詞彙已建立好「內在表徵」，這個表徵的完成可以幫助孩子歸納相同特徵的東西到同一類別中（原來鴨子就是「水鳥」，住在水中的鳥），而分類是智慧的開端，是學習最基本的基石（孩子一定要先能分辨出爸爸和鄰居叔叔的不同才能知道是爸爸來了，應該笑）。要到達「熟悉」唯一方式就是閱讀，讓這個表徵的神經迴路一直活化。常常活化的神經迴路訊息傳送得比較迅速，神經的連接就好像荒野中原來是沒有路的，第一個走過去留下一些腳印痕跡，第二個人順著第一個人的足跡前進，比較省力，走多了，一條路就出來了，愈多人走的路愈大條，走起來就愈好走。這是爲什麼小學一年級的孩子辨認一個字要一分鐘，大人只要半秒就夠了。

閱讀的好處就是讓同一個字在不同的情境下常常出現，每次出現都會激發這個字的神經迴路，但是因爲每次出現的情境不一樣，這個迴路就會愈來愈豐富。就好像樹一樣，主幹愈來愈粗（代表著這個字的基本字義愈來愈清楚），旁邊分叉的樹枝也愈來愈密（代表這個字引申的字義及可以用到的情境愈來愈多），當兩個字的樹枝連成同一枝時，同義詞就出現了，孩子就了解這兩個字可以替換著用，以後作文時可以這樣以減少同一個字重複出現的累贅感覺。所以閱讀其實是學習語文（不論母語或第二外國語）最好的方法。

曾有報載一位八歲的國小二年級學生讀英文版的《哈利波特》（*Harry Potter*）作消遣。根據記者報導，他並沒有出國，也沒有參加坊間的英語補習班，只是母親在家中和他講英語，一起讀英文故事書，看英語的 Discovery 頻道和「國家地理雜誌」頻道，慢慢的英文能力就培養出來了。他母親對記者說：「他的英文能力好，最主要是因爲他喜歡看書。」

許多人對這則新聞感到驚訝，我卻一點都不意外，因爲從研究上老早就已經知道閱讀是提昇語文能力的不二法則。在實例上，中研院曾有位同仁在家中用同樣的方式帶她的女兒，如今這個曾在台北市得過英語演講冠軍的孩子已到美國念大學了，很多人都不相信她是台灣土生土長的中國孩子。

我常感到用對了方法學習，學習就不會那麼痛苦。在台灣不知有多少人痛恨英文，但是在這兩個案例中，孩子都覺得看英文書是個消遣，不是做功課，還得煩勞父母規定一個晚上不得超過三小時，以免近視。所以最近看到有心的父母家長開始注意到閱讀是學習語言的基本，開始有出版社願意出版大大本、插圖彩色鮮艷的兒歌書，覺得非常的高興。這些書是閱讀啓蒙的最好讀物，大大的字使兒童閱讀起來毫不費力，漂亮生動的插圖使兒童想看，最主要是兒歌中一直重複的主題字使孩子很快就建立了字的內在表徵，熟悉這個字後，使他更容易認得與這個字有關的其他字。

台灣最近政治動盪不安，令人沮喪，但是在民間，還是會看到生命力，許多人埋頭在做有益的事，就像發現這種令人欣喜的出版物。有人說：「有心會找到出路，無心不缺藉口。」或許靠著有心的出版社，關心的父母，不管政策怎麼一日三變，我們依然可以打造出健全的下一代。

17 閱讀與阿滋海默症

醫學研究發現，人的大腦是愈用愈靈光，有一個義大利的研究報告發現，七十歲以上的老人只要讀過五年書（即小學都還沒畢業），得阿滋海默症的機率就比同齡的文盲少十四倍，這是一個驚人的數字。我們台灣也有類似的報告，一九八九年榮總在全省八個地區對五、三〇〇名四十一歲以上的榮民作抽樣檢查發現，沒有受教育者得阿滋海默症的機率是受教育者的兩倍；九三年榮總對金門地區一、七三六名六十五歲以上老人的調查，也發現沒有受教育者得病率比受教育者來得高。

一九九二年哥倫比亞大學的正子斷層掃瞄研究，更證實閱讀與阿滋海默症有關。這個研究的受試者爲三組不同教育程度的阿滋海默症患者，一種是受教育年齡少於十二年（即高中以下程度），一組爲高中畢業者（完成十二年義務教育），第三組爲大於十二年（有讀大學者）。這三組病人的年齡及失智情形都相當，但是磁振造影的結果顯示高教育組的頂葉及顳葉的血流量遠比另外兩組低，表示這組病人腦部病變其實比較嚴重，但是他們在失智的程度上與其他兩組不相上下，主要是因爲閱讀有補償作用，他們平時閱讀得多，因此促進了頂葉與顳葉的活動。神經是個用進廢退的東西，平常有用大腦的人神經比較不易退化，即使大腦內在病變程度比較嚴重，顯現在外的行爲仍與其他兩組差不多，顯示閱讀對大腦有保護作用。

人在接受外界刺激時，都會激發一連串大腦神經迴路的活動，但是閱讀時神經迴路活化的程度比看電視時來得深，一個原因是閱讀是主動的搜索訊息，我們的眼睛在閱讀時遇到語意不明的詞彙（如打手，一個意義是動詞，另一個爲名詞）時，眼睛會立刻迴歸（regression）到前面已讀過的句子，尋找文意脈絡以解讀這個雙意詞。

閱讀的速度依每個人的程度而有所不同，它是一個主動的訊息獲取歷程，過去的動物實驗已顯示主動歷程神經活化程度比被動的高；看電視、電影時，人是被動的被餵食訊息，雖然螢幕或銀幕上同一段時間內所包含的訊息大過文字（a picture is worth a thousand words），但是人的眼睛並不能主動的控制電視、電影呈現的時間（電影是以一秒二十四格畫面的速度將資訊傳送給我們），在這裡背景知識就扮演了重要角色。

有背景知識的人，在同等時間內所吸引到的知識就比沒有背景知識的人多很多，因爲我們訊息處理歷程（information processing）是個從上而下（top-down）及由下而上（bottom-up）兩者同時進行的交互作用歷程，但是從上而下的歷程重要得多。因爲根據訊息處理歷程理論，從上而下的歷程依據由下而上歷程送來外界刺激的特質（features）如顏色、形狀等，再從背景知識中抽取符合這些條件的東西以形成初步假設。這些初步假設可能有很多，再依據不斷送來的最新訊息逐步將不對的假設推翻，最後留下來的，就是最符合由下而上資訊以及現有背景知識所能提供的最佳答案。如果形成不了假設，便看不見應該看到的東西。這是爲什麼我們看不到不熟悉的東西，許多訊息都在環境中，但是沒有背景知識形成不了假設，就變成有看沒有到。福爾摩斯探案中，華生就是一個很好的例子。魔術師在表演時也常利用引導觀眾形成不同的假設來誤導觀眾，使其沒有看到應該看到的東西。

另一個閱讀可以活化神經迴路的原因是：閱讀可以激發人的想像力，而創造力與想像力有重大的關係。沒有想像力就沒有創造力，想像力又與背景知識有關，因爲要「無中生有」是非常困難的，它至少要有一點點的根據才可能捕風捉影得出來，這一點點的東西就是背景知識。我們從一七三〇年義大利畫家摩根（Filippo Morghen）所畫的一張想像的月球世界，就可以知道想像力與背景知識的關係，這張月球人生活圖，划的是威尼斯運河船，住的是掛在樹梢的南瓜屋，所有東西都是畫家熟悉的，他只是從生活周遭熟悉的東西出發，去發展他的想像力。就好像我們說一個人不可能夢到他完全沒有看過的東西，一個沒有見過汽車的人怎麼夢都不可能夢到汽車，一個沒有任何知識的人怎麼想像也不可能全部虛構。

因此，閱讀提供了想像的背景知識，從而提供了創造力的基地（base）。寫《侏羅紀公園》的麥克·克萊頓爲什麼能成爲暢銷科幻小說作家，就是因爲他有豐富的生物科技背景。他原是哈佛大學醫學院的畢業生，又在加州聖地牙哥的沙克研究所做過研究員，因此他寫出來的小說有眞實性、不離譜，才能吸引讀者。

沒有事實根據的想像力不可能形成創造力，人沒有看到鳥就不會想到飛。廣泛的閱讀打開了我們的視野，讓我們可以從書中描繪的別人經驗中修改我們的設計，從而創造出新的東西。如果沒有閱讀，知識的傳承每一代都得重新發明輪子的話，人類的文明是不可能累積或進步的。（《天下雜誌教育專刊·閱讀——新一代知識革命》）

18 二十一世紀的公民

公元二〇一一年，台灣第一批教改的小種子將進入社會，成爲社會的中堅分子、國家的棟樑。我相信很多人想到這裡會睡不著，因爲教育的偏差使我們擔心他們是否準備好去應付世界潮流的風浪，去與國際菁英競爭。看到國家的競爭力節節敗退，我覺得再不痛定思痛地設定一個不因政黨輪替而改變的教育長遠目標，將來會有無可用之才之憂。台灣現已無可用之兵（因爲國家定位的混亂，國旗不代表國家的謬論，已使士兵不知爲何而戰），一個國家如果內無可用之才，外無可用之兵，則沈淪指日可待。

我們必須教育下一代有世界觀，因爲他們生活在二十一世紀，而二十一世紀的公民必須有世界觀，因爲WTO已打開各國的大門，它使世界變成地球村，各國之間貨物流通、人才流動，台灣已無法關起門來做皇帝。當跨國公司一間間成立、跨國研究陸續出現時，我們的孩子準備好了嗎?他有足夠的背景知識與各國的人侃侃而談嗎?他有足夠的胸襟包容不同的文化嗎?目前考試掛帥的結果是我們學生的人文素養奇差，大部分的學生除了課本就是參考書，不曾看過其他的書，不要說西洋的古典精華，連本國的經典小說看過的人也屈指可數。在一個一百三十人的大學通識課程班級上，竟然沒有人看過《西遊記》、《水滸傳》，當問到《三國演義》時，有人問「漫畫版算不算?」

不閱讀的結果是文化無法傳承下去，傳統的忠孝節義變成可笑的迂腐，誠信變成不合潮流的教條，整個社會是非不分，政治人物公然說謊，口出穢言，面無愧色，色情光碟到處可買，抹黑、毀謗變成就地合法，這種社會價值觀的混亂造成今日孩子的無所適從。因爲心中無理想、無抱負，所以很多孩子迷失在慾望之中，不知道人生的目的是什麼。沒有希望、沒有目標，今朝有酒今朝醉的結果是不尊重自己的生命，也不尊重別人的生命，當然更不能感受到別人的痛苦。所以我們看到學生在板橋連續縱火的動機竟然是「因爲很無聊」、「沒想到會燒死人」，女學生因爲買不起手機而自殺，男學生因爲臉上長青春痘而自殺。一個生命會因爲一些微不足道的小事而消失，令人扼腕，尤其最近的調查，在所謂人生的黃金時代，無憂的童年，竟然有一二%的小學生曾經有過自殺的念頭。當一個還沒有進入社會，不曾被「污染」的孩子會動自殺的念頭時，那是一個很大的警訊，我們豈可再忽視下去?

對台灣教育的現況，不論有無孩子的人都感到憂心。有孩子的人是切身之痛，目睹自己的孩子每天有考不完的試、補不完的習，被沈重的課業壓迫得未老先衰。沒有孩子的人則是感到國家培養出這樣不健康的未來棟樑，未震即倒，國家前途堪憂，所以教改理念一提出來時，每個人都摩拳擦掌的加入行列。

但是，台灣經過無數人無怨無悔的投入辛苦工作了十年，情況並沒有好轉。而且現在教出來的孩子好像品質更差了，報載有六五％的大學教授覺得學生素質下降，這個原因是教改沒有針對教育的極終目標「培養正直的公民」改善，所以徒勞無功。教改若是沒有回歸教育的本質——教化，只改表面的東西，再怎麼改都不會成功，因為問題不在那兒。我們必須先想清楚我們希望教育出什麼樣的二十一世紀公民，再來制定課程和方案。

執行上的困難不應成爲修改目標的藉口。目標像一座燈塔，它指引著方向，領導著所有人往那個方向走，它不能因爲這條路不好走，先迂迴再回到原來方向。前幾年，全國拚經濟時，我們犧牲了社會價值觀，結果經濟衰退後，當時所種的惡果便都顯現出來了，即便現在推反冷漠運動都很難奏效，因爲長久以來人民已經習慣急功近利的自私自利社會。我們在大腦的神經發展上看到，一隻生長在全是直線環境中的小貓長大後看不見橫線，一個從小沒有被教導自重自愛的孩子長大後也不會尊重別人；而文明的指標偏偏就是尊重別人的程度，所以我們才會被外人認爲是一個富有而不文明的社會。

因此，假如我們認定教育的目標是在教化心靈，讓孩子成長爲一個快樂健康有智慧的國民，那麼我們一定要朝品德教育著手。多元教育並沒有錯，錯在父母仍要孩子去擠明星學校的窄門，忘記先看一下孩子適不適合念博士，做醫師或律師，如果我們能讓父母看到在多元的社會裡，任何領域玩出名堂都有飯吃，那麼千年不破的升學主義會自然破功，因爲擠進明星學校窄門的孩子未來不一定快樂、健康，有太多的研究告訴我們，未能從事自己興趣的人都活得不快樂，而不快樂的人會不健康，孩子活得不快樂不健康，會使父母重新考慮是否要把孩子推向那個窄門。倒是在社會上成大事業的人都不見得是好學生，但是他們經過大風大浪，受打擊而沒有倒下去，這種人才是最後我們認爲成功的人。父母若能認清這一點，把眼光放遠，不爭一時爭一世，放手讓孩子朝著他的興趣發展，他將來成功的機會一定比目前窩在補習班去擠窄門更高，至少他會是個快樂的年輕人，而不是我們在精神病院看到的否定自我價值、眼光無神的人。

如果認定教育的目標是教化，使孩子成爲一個正直的人比他成爲博士更重要，那麼，父母就必須參與學校及社區工作改善孩子生活的大環境。因爲「蓬生痲中，不扶自直」，如果要孩子行爲良好，必須他所交的朋友都是行爲良好的才有用，不然孟母何須三遷呢？如果父母投入社區工作，反冷漠運動自然成功。我們現在看到台灣最大問題在價值觀的混亂，做壞事的人沒有得到應有的懲罰，反而扶搖直上，成爲政治領袖，這帶給孩子很大的衝擊。社會沒有正義，大家笑貧不笑娼，會造成道德的崩盤、家庭的瓦解，這個維繫孩子倫理文化道德的最後防線一失守，造成目前四〇%的人認爲生命沒有意義，六〇%的人認爲未來沒有希望。我們這個曾經台灣錢淹腳目的國家就因爲居廟堂者沒有遠見，爲金錢而犧牲理想，爲選票而犧牲原則，爲政治犧牲教育，造成現在人民的痛苦指數居高不下，這個美麗之島就從貪婪之島向下沈淪到痛苦之島了。

今天，如果我們要造就二十一世紀的公民，這個公民必須有世界觀，因爲他的閱讀與歷練是不可少的；他必須有正直的人格與高尚的情操，才不會利用知識做出傷天害理的事；他必須對自己的文化有足夠的了解，因爲文化使他可以挺胸抬頭有自信；他必須有寬廣的背景知識，因爲背景知識可以使他隨時吸收新知，做出恰當的應變。目前最急切要做的就是從小在家庭中培養健全的人格，這句話看似老生常談，卻是今天要挽救於沈淪最後的一帖藥了。

望著台北市高聳入雲的大樓，心中浮起的卻是小學課本念的「國一破還有家嗎？」這句話。覺醒吧，同胞們，美麗之島不要沈淪在你我手上！請不要讓我們的孩子去做「台傭」！

19 電玩與ＩＱ分數

過去的數十年間，人類在智力測驗上的得分隨年代而增加，這個現象被稱爲佛林效應（Flynn Effect; Neisser, 1997）。一九八四年紐西蘭的佛林教授（James Flynn）發現，當一九七八年《魏氏成人智力測驗》（*Wechsler Adult Intelligence Scale, WAIS*）進行第二版的修訂時，新版上的平均得分是一〇三・八的同一組人，在一九五三年的舊版的平均得分卻是一一一・三。換句話說，在新版測驗中智力屬於平均數的一群人，在舊測驗的智商卻遠超過平均數。他統計自一九五三～七八年這二十五年間，美國人的ＩＱ平均每十年增加三分。在荷蘭，從一九五二～八二年這三十年間ＩＱ則增加了二十一分，平均每十年增加七分。

這個現象並不限於美國和荷蘭，而是在美國、比利時、荷蘭、法國、挪威、瑞典、丹麥、東西德、奧國、英國、瑞士、加拿大、北愛爾蘭、澳洲、紐西蘭、巴西、以色列、日本及中國大陸這二十個國家中都有發現，表示是一個普遍存在的現象。

從二十個有佛林效應的國家中，可以看出來它們都是接觸到高科技、資訊發達的國家，所以這個效應可能與電腦、電視等多媒體的傳播有關。有人認爲現代的社會電視非常普遍，電訊傳播的發達使世界的距離縮短很多（波斯灣的戰爭從衛星上傳送下來，清晰得好像在自家門口打的一樣，令人有身歷其境的感覺），電訊的發達使孩子接受的資訊多了，所以認爲這個ＩＱ分數的增加可能是由於多媒體導致的語文能力增加之故。

但是當佛林仔細分析荷蘭新兵的資料時發現，語文的分數增加不多（荷蘭的年輕人在十八歲入伍當兵前必須先做一些智力測驗，所以他們的紀錄最完整），有的地方甚至還有倒退的現象，所增加的部分主要是來自空間能力與推理能力等非語文的部分，最顯著的就是在所謂瑞文氏測驗的表現上。

瑞文氏測驗是心理學大師史皮爾曼（Spearman）的學生瑞文（John C. Raven）在一九三八年發展出來的。它是一個3×3的矩陣，最後一個位置是空白，受測者要從八個可能性中挑一個最合適的圖放上去，完成這個矩陣。

目前瑞文氏測驗有三個版本，由淺到深，一般都認爲它是一個最不受到文化差異影響的測驗，亞瑟·簡生（Arthur Jensen）極力推崇，認爲它最能測量出一個人眞正智慧的測驗，我們台灣也有常模。

如果分析這一代年輕人與上一代差別最大的地方在哪裡，我們會發現這答案應該是電玩遊戲（任天堂遊戲及電腦遊戲）。因此這個空間推理能力的增加很可能與打電玩有關。因爲國內瑞文氏常模的年齡只到十五歲，所以如果要找「資深」的電玩高手最多只能找國三的學生，但是台灣國三的學生是不可能每天打兩小時電玩遊戲的，除非他不升高中。如果要找十五歲左右、每天可以打電玩、沒有升學壓力的，大概只有美國學校，所以我們找五名台北美國學校有打電玩的九年級（相當於我們的國三）男生做測驗，同時也找了五名同年齡但是從來沒有玩過電玩（或玩得很少）的中國學生做比對。結果這兩組學生的表現完全不一樣，顯示電玩的經驗對瑞文氏成績的提高的確有作用（見表一）。

另外，我們用眼動儀追踪受試者解題的策略時，發現打電玩者與非電玩者在解題時眼睛移動的方式有很大的不同。打電玩者眼球掃瞄過去，很快就抓到矩陣變化的規則；知道可能的規則之後，他們的眼睛便移到下面的八個可能性答案中掃瞄一次；看到心目中的答案之後，便把眼睛移回題目的空格中，再做一次比對，便按鍵了。因此，他們眼動的結果清晰可尋（見下下頁圖，黑點爲眼睛之凝視點，虛線爲眼睛移動之方向）。

但是一個非電玩者，因爲橫看、豎看、交叉看都找不出變化的規則，只好把答案一個個搬上去比對，因此，他的眼動圖就一團黑了。後來用大人（即超過常模年齡的大學生）來做研究時，更發現兩組人用的策略是非常不同的。大人用的是剔除法（elimination），把不正確的可能性一一剔除，小孩子用的是領悟法（pop-out），即不知道原因卻知道答案。我們也發現打電玩的孩子在類比和分類能力上比一般大人還強。

表一 高級瑞文氏圖形推理測驗電玩高手與非電玩者的比較（男生）

電玩高手受試者	年齡	打電玩時間	正確率	測驗所花時間
1	14 歲 11 個月	11 年	99	30 分
2	13 歲 7 個月	8 年	93	30 分
3	14 歲 1 個月	7 年	98	18 分 25 秒
4	14 歲 4 個月	8 年	99	24 分 23 秒
5	12 歲 3 個月	6 年	85*	25 分

非電玩者受試者	年齡	打電玩時間	正確率	測驗所花時間
1	14 歲 6 個月	1 年	60	30 分
2	14 歲 2 個月	1 年	55	30 分
3	14 歲 2 個月	無	27	25 分
4	14 歲 3 個月	無	53	30 分
5	13 歲 11 個月	無	53*	20 分

*表示常模的年齡比受試者高出 3 個月，所以受試者的成績爲低估。

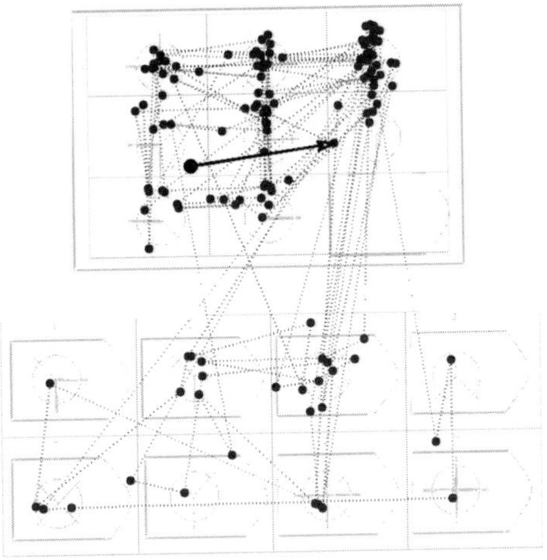

例如在一個遊戲中，電腦螢幕出現一匹馬，下面有個4，一隻蝦，下面有個8，一個天平底下是空白，孩子必須很快打一個正確的數字到天平底下，完成這個類比，地窖的門才會開，使他可以進入下一關。我們發現成人大多選2或1（天平有兩邊或中間有一個支柱），但是打電玩的孩子卻毫不猶疑的打0，當0一出現，地窖的門便開了，表示孩子的選擇是正確的。當詢問他們理由時，他們都很不解的望著大人，意味著這麼明顯的選擇大人爲何還要問。對他們來說，馬有四條腿，蝦有八隻腳，但是天平不是動物，沒有腳，因此選零。他們不受到表象的影響而直接進入問題的中心，即動物與非動物的類別（非動物沒有腳，故選0），可見他們的推理方式與我們很不一樣。

電玩可以幫助瑞文氏測的空間推理能力的原因，現在並不清楚。二〇〇三年的《自然》期刊上有一篇討論電玩與視覺選擇注意的關係，發現打電玩的經驗可以改變受試者的視覺學習表現，增加他的注意力廣度（attention capacity），在視覺空間記憶（visual special memory）及序列記憶（sequential memory）上都比非電玩者強。尤其是過去的研究發現視覺學習移轉的效果很少，即學會了操弄這個作業，對操弄別的作業並沒有很大的幫助，但是目前這份研究卻發現每天打一個小時，連續打十天時，受試者在視覺注意空間分布及時間的準確度（temporal resolution）上就有很大的增進，這些能力的進步與電玩遊戲的進步有相關，而且能將受過訓練的能力移轉到新的作業和以前不曾賦予注意力的新地點上。因此雖然打電玩時好像沒有用大腦，但是打電玩其實有急劇的改變視覺注意的處理歷程。這個實驗也讓我們知道，注意力瓶頸（attention bottleneck）其實是可以突破的，這點從演化上來看並不驚奇，因爲有機體處在一個新的環境中時，一定會修改它的視覺系統以求生存。

從佛林效應看來，或許父母不必全力防堵電玩，以免增加親子關係的緊張度，父母應該給予孩子一些遊戲的時間和空間。電玩不一定是壞事，只要不牽涉賭博，玩電玩對眼、手的配合，空間的概念和推理的能力其實都很有幫助，就像我們以前的實驗發現，只要不牽涉賭博，老人家玩麻將對視覺掃瞄速度、視覺搜索速度、記憶廣度等都很有幫助。

中國人是個勤勞嚴肅的民族，一般來講，父母老師都很不喜歡看到孩子在玩。中國人相信「勤能補拙」，更相信「業精於勤，荒於嬉」。孔子一再強調「溫故而知新」，所以中國學生寒暑假一定有作業，還有返校日，檢查作業有沒有按時做。我們的孩子從來不能盡興、無牽掛的玩，整個社會文化對遊戲都是一種負面的價值判斷。其實遊戲是認知、人格成長中非常重要的一個經驗。小孩在遊戲中練習拿捏人際關係，並且學會「禮尚往來」的重要性。分享、輪流玩、講理是交朋友的要件。朋友不像父母有包容心，說錯話、做錯事，朋友就不理你了。從遊戲中孩子學會了設身處地替人著想，這其實爲他將來進入社會鋪路，領袖能力就是在遊戲中培養出來的。

反觀我們現在的教育，小孩子根本沒有什麼時間與同學玩，一天八小時的課排得滿滿的，下課十分鐘上廁所都來不及，遑論與同學有什麼互動。當覺都睡不足時，遊戲是奢談。

其實不論讀書或遊戲，過猶不及都不好，與其把電玩看成洪水猛獸，嚴厲禁止，不如訓練孩子經營他自己的時間，讓他在功課做完之後，可以做自己想做的事，適度的玩一玩。很多孩子在受到尊重後，懂得自重。讓孩子學會經營自己的時間，會使孩子一輩子受用不盡，因爲父母不可能永遠跟在後頭叮嚀提醒。水能載舟也能覆舟，如何利用孩子對電玩的喜好加強他對功課的興趣或責任心，創造雙贏，是二十一世紀爲人父母者新的挑戰。

20 學校便條引發的創意

有一天，德國萊比錫市有個孩子放學回家時給他爸爸看一張老師發的條子，上面寫道：「最近班上有小朋友長頭蝨，請各位家長多多留意貴公子的頭頂衛生。」這位小朋友的父親看到便條並沒有像一般人一樣大驚小怪，大叫說「現代的社會怎麼還會有頭蝨」，反而想頭蝨是住在頭髮裡靠頭皮屑維生的，體蝨是住在衣服中靠皮膚屑維生的，後者應該是從人類開始穿衣服以後才演化出的新品種。那麼是否可以從體蝨分化出來的時間推測人類什麼時候開始穿衣服的呢？

於是他比較全世界人類身上的蝨子的DNA，發現身上的蝨子大約是七萬二千年前從頭蝨中分支出來的，前後誤差大約四萬二千年，也就是說從最遠是十一萬年前，最近是三萬年前體蝨就出現了。考古學家挖到最古老的縫衣針大約是四萬年前，而三萬年前的陶偶已穿衣服，陶器上已有織物的痕跡。因此，雖然衣服無法化石化保存下來，但是這些證據似乎支持他的說法。

這個研究的做法是從人類和黑猩猩身上蒐集40隻蝨子的樣本，比較DNA序列和突變的快慢，找出各種蝨子共同祖先生存的年代，發現體蝨的確源自頭蝨，他也發現非洲人身上的蝨子比其他地區人的在基因上變異性更大，顯示蝨子的祖先是來自非洲。這點與人類是起源於東非洲不謀而合，因爲現在的證據都指向現代人是五到十萬年前出走非洲的。

這篇文章登在很有名的期刊《當代生物學》（*Current Biology*）上，看了很令我感慨。這是一個很有創意的研究，從學校的一張便條中，便得出一個SCI（Science Citation Index，科學引用文獻索引）論文的點子。其實生活中到處有研究的好點子，只是我們常常看不到、想不到它而已。我們都很了解創造力的重要性，也都想培養孩子的創造力，但常不知從何下手。

從德國這篇論文中我們看到要有創造力，第一，要有寬廣的背景知識，知道頭蝨與體蝨不一樣，後者可能來自前者；第二，有好奇心，想知道後者何時從前者分家出來；第三，有推理能力，能想到如果體蝨是住在衣服中，那麼找出體蝨出現的年代，是否可以推測出人類何時開始穿衣服。當然，這裡的假設是人類穿上衣服不久體蝨就出現了，這點有待商榷，因爲沒有直接的證據支持衣服的出現與體蝨的存在是幾乎同時，但是我們從流浪漢幾天不洗澡身上就出現蝨子情況看來，古人衛生習慣不好，茹毛飲血，沒有衛浴，不能洗澡，有了衣服之後，蝨子出現的時間應該不會太久。

最重要的是，這個實驗是馬克斯普蘭克（Max Planck）團隊做的（上述的那位父親正是這個團隊中的一員），是個集體的智慧成果。現代的人不但要有點子、能力，還要有團隊精神，可以與別人合作一同創造出新的東西來才行。在二十一世紀的現代，知識已經廣大到沒有一個人可以知道天下事，每個人充其量只能把他專業裡的一小塊弄清楚而已。這時，我們需要科際整合，團隊合作，貢獻出每個人專長的一小點，集合起來做出一個大成就。過去那種單打獨鬥的創造發明，在二十一世紀的現在已經逐漸消失了，我們在推動創造力之時，同時需要強調孩子的合作態度，教導他們與人相處的方式，這樣最後才會成大業。

從一張學校的便條中想出一個有創意的實驗，找出人類開始穿衣服的年代，這正是科學最迷人的地方。科學像偵探辦案，好的科學家知道如何利用手邊的線索重建當時的情境，找出已經風化、煙消雲散的事實。如果你問我如何增加孩子的創造力，我會說：請鼓勵他閱讀，增加他的背景知識，這是全世界科學家公認增加創造力的不二法門。薛丁格（Erwin Shrodinger）說：「最重要的不是發現前人所未見的，而是在人人所見的現象裡想到前人所不曾想到的。」這才是創意的精髓！

21 憶北一女

我們家有六個女生，在光復之初，物力艱難，養六個女兒是很少有的，當時有個名歌星叫白潘（Pat Boom），他才生四個女兒就被記者譏爲「天生的岳父相」。很多女生都被送去作養女，沒有求學的機會，所以我們對父母讓我們念書都非常感激，自己也知道要努力考上公立學校，以節省父母的負擔。幸好我們六個都上了北一女，不但節省學費，也節省了很多制服的開銷。

我姊姊叫洪霞，比我大五歲，所以她高三時我才初一。每年校慶時都會舉辦運動會，那年校慶我姊姊要留在學校念書，放假日不蒸便當，所以我媽讓我送便當去給她。我去到光復樓三樓（以前是年級愈高樓層愈高，光復樓在民國四十八年時是棟很高的房子，可以眺望遠山）找她，她同學說她去跑四百公尺接力了，我非常的驚訝，因爲我不知道我姊姊竟然還會賽跑。我站在走廊等她時，又發現第二個驚訝：校慶是不上課的，但是她們班都到齊了，每個人都在位子上念書，鴉雀無聲。我進北一女久一點後，才知道這就是校風，北一女有讀書的風氣，不管原來是什麼樣子，進到北一女經過六年薰陶之後，出來就是北一女的樣子了。

後來在台大的新生訓練，我與另一個同學玩猜學校的遊戲，在同學還沒有自我介紹前，先看她的樣子來猜畢業的學校，結果猜中率幾乎八九不離十，也說不出來爲什麼。這個北一女的樣子，過了二、三十年還看得見，在國外的學術研討會中常會看到東方的女性，如果舉止中規中矩、兩眼直視、不左顧右盼（江校長的教訓），猜她是台灣來的都沒錯，再問下去，很可能就是北一女畢業的了。我在姊姊的畢業紀念冊上看到「北一女，我們現在因您而榮耀，我們以後將榮耀您」，覺得很感動，後來知道每一屆都有這句話。這句話講得很好，在當時，穿上了綠制服，別人會自動認爲你是好學生，也因爲這樣，北一女的學生自重自愛，沒有丟過學校的臉。

妹妹洪燕比我小一歲，她在公班，是最後一屆初中部，後來就變成省辦高中、市辦初中了，她與我都是直升高中部。當時努力想直升，除了免聯考，還有一個好處是聯考報名費省下來時，我爸讓我們去買自己想買的東西。我們平常沒有零用錢，因此這筆錢眞是「天上掉下來的」，想了很久都不能決定該怎麼用它（我去新公園門口的三葉冰淇淋店吃了一個三色冰淇淋，還被我母親罵説錢沒有留下來買書，以後不是讀書人）。在北一女功課好還有一個好處，可以「留影」，即由學校出錢，讓我們去重慶南路上台北最有名的「白光攝影社」照一張大頭照，掛在學校一進門的弄堂（即現在校長室外面那一塊空間）。民國四十幾年的時候，幾乎沒有人有照相機，所以我在一女中的樣子全靠留影時的照片，現在回想起來眞是彌足珍貴。那些相片也是我中學時期唯一的相片。

北一女每年元宵都有猜燈謎，獎品都是文具，所以我們每人都很努力的猜。我記得有一年的謎面是「滄海一潛鮫」，謎底是「龍碧波」老師（教什麼我已忘了），贏了一盒利百代鉛筆，一直用到我高中畢業。在北一女的時候，從老師到學生都很儉樸，我們每天穿制服，所以不必花心思在服飾髮型上，老師也以身作則，很少有塗口紅的，江校長更是一襲旗袍，從來沒有化過粧。整個校園風氣的純樸，養成我們實事求是，不爲外表所眩惑，只注重內在涵養的精神。

最近去美國，我在妹妹洪茵家看到一張今年北一女校友會的團體照，我很驚訝單單舊金山南灣區就有這麼多北一女的校友，更驚訝的是她們不知哪裡弄來了綠制服，每個人穿上綠制服照相。從這樣照片裡，我可以感到校友對學校的懷念，畢竟那是一段最值得回憶的成長歲月。算一算，離開北一女是三十八年前的事了，從當年青澀的少女到現在快要退休的教授，我很感謝北一女給我打下的根基，使我在求知的過程上無往不利，從原來的台大法律系，跨組跨院去念神經心理學，到現在做台灣第一所認知神經心理所的所長。

我很慚愧我當年有因北一女而榮耀，我卻無法以榮耀北一女回報，但是至少我做到「公誠勤毅」的校訓，在我的崗位上盡我的力，做好我份內的事。或許江校長要求我們的就是這樣吧——腳踏實地的做一個有用的人，以實質榮耀北一女。（《北一女一〇〇週年校慶特輯》）

22 憶父親

馬克・吐溫說，一個失去至親的人就像房子被火焚毀，它的損失要過一陣子才會慢慢地出現。我失去父親的痛，也是在父親走後幾個月才在生活中一點一滴的滲出來。

我出生時父親已經三十四歲，應該是他事業的顚峰，但是我生也愚魯，對童年事情沒有任何記憶，只記得父親有勤務兵，上下班有綠色吉普車接送。父親是個十分有威嚴的人，我們看到他都會不由自主的鞠躬，他每天吃過晚飯便去書房讀書，從不例外。我們家是日式房子，最好的房間便是書房，鋪的是地板而不是榻榻米，書房中有張很大的書桌，上面堆滿文件，四周是書架。我們很小就知道，一、三、五晚上不可以吵鬧，因爲爸爸有日文老師來補習。在那個爲了考試而讀書的年代，大家對父親那種「沒有人叫他讀而他自己要讀」的行爲都大惑不解，一直到我自己出來教書了，才了解父親這種才是眞正的讀書人。他是爲了學問而讀，不是為功名。

父親終其一生，手不離卷。他過世後，我在他書房的桌上看見一本看到一半的書，是我翻譯的《大腦的秘密檔案》（*Mapping the Mind*，中譯本遠流出版），上有眉批，旁邊另一本是教科書《發展的認知神經科學》，他是用後者在自學前者。當時心中非常感動，父親真是活到老學到老。因為兩年前他罹患白內障，晚上睡覺時看到牆上有蜘蛛在爬及其他的幻覺出現，我向他解釋這是大腦在解釋外界進來的訊息，因為白內障使進來的訊息不足，大腦便自己填補空缺，將進來的訊息合理化，所以造成牆上的蜘蛛幻影，這個現象在開完刀之後應該會消失；所以當手術後，這些幻影真的消失時，父親便叫妹妹去圖書館借大腦的書回來看。

父親是廈門大學法律系畢業的，當年修生物雙學位時英文打下很好的根基，所以他可以看英文的科普書，遇到專有名詞時，便拿教科書出來看。後來我在翻譯有關腦的科普書時，父親便替我校對，他校對的方式與校對《刑事法雜誌》一樣，一絲不苟，連我沒有寫錯，只是寫得較潦草、不整齊的字都挑出來。我很後悔當時沒有把手稿留下，像父親這樣剛正不阿、一絲不苟的人真是找不到了。

民國四十年代，父親看到當時台灣法律的知識十分不足，便和幾位同好籌辦《軍法專刊》，後來更和林紀東大法官（我的乾爹）合辦《刑事法雜誌》。《刑事法雜誌》自民國四十六年創辦，一直到父親過世，這四十五年來他都是發行人兼工友，所有開銷父親自己墊，始終堅持著這本台灣唯一的刑法雜誌。父親常常校稿到深夜惹得母親生氣，怨他不愛惜身體，但是父親說法律的東西不可以有錯字，所以每一份稿他都親自校三遍。父母親感情極好，從不吵架，如果吵架必是爲了《刑事法雜誌》，因爲父親有糖尿病、心臟病，但工作起來常忘了他是八十多歲的老人，一如他做任何事都全力以赴、有始有終的個性。父親過世後，六月份刊物仍然如期出版，因爲他在病床上也還在校稿，勉力把稿弄完才走。

我們家兄弟姊妹七人，食指繁浩，單憑父親公務員的薪水不足以維持一家九口的開銷。父親清廉自持，爲了我們日益膨大的教育費，他提早退役下來作律師。他是台灣早期非常有名的律師，辦過大同公司等知名的案子。做律師免不了會碰到不講理的當事人，以父親耿直的個性常會生氣，但是我們從來沒有聽過他抱怨，後悔從局長的位子上退下來。父親凡事只往前看，一旦決定便不後悔，也不浪費時間後悔。其實我們很早就知道，如果考不上公立的學校就不要念，因此每個人都很爭氣，沒有讓父母在這一方面操過心。多年後，小妹問母親，你一生中最高興的是什麼時候，母親答道：「聯考放榜的時候。」我們才知道生計的壓力對母親來說是多麼大，她要我們念書，但也知道父親不肯低頭向人借錢，因此，考上公立的學校，使我們能夠受教育就是她最大的心願了，後來我們六個姊妹都念了北一女、台大，所有的制服、課本都可以傳下去用，節省了家中不少開銷。

這種節儉的習慣過了三十年還在我妹妹身上看到。最小的三個妹妹住在舊金山附近，每週末都會固定聚餐，這時，小妹就會收集各家的水電費、電話費等帳單，用一個信封寄掉，節省二張郵票。節儉而不吝嗇，這是父親身教的影響，我很高興我們都學到父親的勤儉。我去國家圖書館演講，講完很自然的走路回家，一路上一直有計程車減速靠過來，後來才發現原來現在已經很少穿著整齊的女士頂著大太陽在走路了。但是我們家人出門都用走的，連公車都很少搭，就如父親說的：「天下沒有走不到的地方，早一點出門而已。」

父親自奉極儉，他的衣服穿到破時，連做抹布都不行了。但是他對朋友非常慷慨，對公益的事情從不後人。我們在他過世後，找出一本土地銀行的存款本，才知道當年銅山街的柏油路是父親出錢鋪的，剩一些尾款就放在銀行作爲後來修補之用。父親很敬佩陳嘉庚先生，因爲陳嘉庚在南洋發跡以後，捐款蓋了集美中學、廈門大學嘉惠家鄉子弟，他常說「錢自我辛苦而得來，亦自我慷慨而捐出」，所以父親捐錢蓋小學、修祖厝、辦雜誌、贊助同安同鄉會都不曾皺過眉頭，但是他的錢從來沒有用到自己身上。

我不記得父親曾經看過電影，唯一的一次是剛剛有身歷聲電影時，他帶我們全家去新生戲院看《南太平洋》（*South Pacific*），當時八個喇叭，聲音從四面八方一起來，真的是「身歷聲」，也使我事隔四十多年仍然記得片頭南太平洋的大浪打來時，妹妹的尖叫。他要我們節儉，但不要我們變土包子，他說什麼東西都可以經歷一次，但是知道就好，不可以浪費，所以民國四十八年，白雪溜冰團來台在三軍球場表演時，他帶我們去看，那是我們第一次看到眞人表演溜冰。

另一個父親一定會花錢的地方是書，只要是買書，沒有不給錢的。我童年沒有與父親出遊的記憶，但有與他去書店，一家走過一家的記憶。我以前常丟掉東西，連課本都掉過，因此常去台灣書店補書，也去其他書局補參考書。父親對書的喜愛影響後來我對書的態度，買書只問它的價値，不問它的價錢。父親生長在南洋，那是個十分重男輕女的社會，我的祖母把她自己的親生女兒抱與人家，換一個男孩子來撫養。但是父親對子女卻是一視同仁，只要我們能念，都盡量供給我們讀書。我還記得我念大一時，祖母初次蒞臨台灣，我們六個女生一字排開去松山機場迎接新加坡來的「阿嬷」，她一下飛機看到這麼多女生以爲是別人家的，後來發現我們統統都跟著她回家了，大爲生氣，質問爲什麼沒有從小送掉，浪費米來養別人家的媳婦，我才知道如果換了個父親，我們可能就被送去作養女了。

我們對父親的栽培都由衷的感激，沒有父親當年的堅持就沒有現在的我們。父親的七個孩子中，四個博士，三個碩士，在博士滿街跑的現代或許很平常，但是在物力艱難的五十年代眞是一件不容易的事。

父親有非常堅強的意志力，使他兩次心臟病都死裡逃生。第一次是一九七八年，父親六十四歲，正在信義路二段蓋大樓，每回打水泥他必然親自監工，以確定水泥與沙石的比例正確。病發那天十四樓在打水泥，父親上樓時覺得肩痛，勉強爬到十四樓後，汗如雨下，內外衣服全溼透了，他急忙巡視一番便下樓回家休息，躺在床上汗仍不止，父親便打電話給住在對面的葉媽媽，因爲葉伯伯是台大病理系的葉曙教授。葉媽媽一聽便覺得情況不對，一方面叫父親立刻到台大醫院急診室，一方面打電話給葉伯伯。因此，當計程車到急診室時，葉伯伯已準備好氧氣筒、擔架，立刻推去急救。葉伯伯親自推床，因此許多小醫師也加入幫忙，就這樣救回父親一命。

對葉家這沒齒難忘的大恩，我們更叮囑孩子們不可忘記。父親的左心房肌肉整個壞死，在加護病房整整住了一個月才出院。這期間幾次發出病危通知，父親都撐過了，後來他告訴我們：「房子蓋一半，事未完，不可以走。」父親蓋的房子異常堅固，曾有工人裝修時，鑽壞電鑽頭，敲牆壁敲到手麻，問起來知道是我父親蓋的房子後，都異口同聲說早知道是洪律師蓋的房子工錢要雙倍。二〇〇二年三月三十一日大地震時，我在十一樓，搖得很厲害，但我不害怕，我知道父親蓋的房子沒有偷工減料，不會倒，就像所有出自父親手的東西一樣，是有品質保證的，不管多不景氣，父親蓋的房子一定賣得出去，「洪律師的房子」是有口碑的。

第二次是一九九九年父親做心臟血管繞道手術，父親有四十年的糖尿病歷史，許多人都勸他不要冒險，但是父親說如果做和不做都是五〇%的機率，他選擇做，因爲「做」這個行爲就打破了僵持的局面，帶來新的希望。他手邊有柏埔洪氏族譜尚未編完，他需要時間。所以在八十六歲的高齡，父親勇敢的接受心臟手術。他是五床手術病人中年紀最大、身體狀況最不好的一位，卻是最早出院的一個。父親的勇敢、對生命的熱愛令我們自嘆不如。父親常說要面對事情，當機立斷，不能退縮，逃避只會使雪球愈滾愈大，不可收拾。我們從他身上學到務實、不逃避，該付的代價絕不怨嘆。

父親過世後，有人對我說父親辛苦一生，喪禮要風風光光。但是我認爲父親勤儉樸實，不求聞達，風光絕非他的風格，更何況父親是活在我們心中，與什麼樣的儀式無關。因此，在徵得母親的同意後，我們用簡單莊嚴的方式追悼父親，將喪葬費節省下來買洗腎儀器捐給台大醫院。

父親安葬在南勢角的春秋墓園。這塊墓地他生前就做好了，像所有事情一樣，他不願意麻煩別人，連自己的孩子也一樣。他的墓坐西朝東，迎向日出，安葬前一日清晨，我們去打掃墓園，我站在墓地看著旭日東昇，突然了解，這就是父親常說的「天行健，君子以自強不息」的意義。父親躺下了，我們頓時失怙，彷彿天要塌了，但是不管人間發生什麼事，太陽還是從東方升起。從天地的角度來看，個人形體的消失，毫不影響宇宙的運行，君子惟有自強不息，才能跟得上宇宙的腳步。父親安葬後，我立刻回到學校上課，父親讓我了解到形體的消失是不重要的，宇宙不會因任何人的消失而停止運轉，但是我們卻可以用「立德立功立言」影響宇宙的運轉，我必須把握時間去影響別人。

今年的中秋節是父親九十歲的冥誕，也是他離開我們的第一個生日，看到月圓人不圓，無限感慨。小時候玩家家酒時，大家都搶做媽媽，沒有人要扮演父親的角色，因為爸爸只會說「我去上班了，再見」，沒有想到這個只會上班很少在家的人，離開時也會留下這麼深遠的傷痛。（《聯合報》副刊）

國家圖書館出版品預行編目資料

講理就好. 3, 知書達理／洪蘭著. -- 二版. -- 臺北
市：遠流, 2006 [民95]
面； 公分. --（大眾心理學叢書；403
洪蘭作品集；3）

ISBN 978-957-32-5912-1（平裝）

1. 論叢與雜著

078 95018919

Martin Seligman

學習樂觀，終生受惠

憂鬱是本世紀最流行的文明病，憂鬱悲觀會使人情緒低落、萎靡不振，嚴重影響一個人在學業上或工作上的表現，甚至減低人體免疫系統的功能，損害身體健康。憂鬱症最大的威脅便是損毀個人的生命力。

馬汀・塞利格曼（Martin E. P. Seligman）博士是賓州大學心理系教授。他得過無數心理學方面的傑出獎，曾任美國心理學會（APA）主席，也是唯一同時得到美國心理協會（APS）的基礎科學獎與應用科學獎的學者，在心理學界中將基礎研究與臨床應用結合得這麼好、影響這麼多人的，恐無人能出其右。他是「習得的無助」、「解釋形態」與「正向心理學」諸領域的權威，主張思維習慣可以改變情境；我們必須對令我們生活不滿的事進行分析，可以透過樂觀的解釋形態來改變悲觀的思維。

A3186《學習樂觀・樂觀學習》
——提昇 EQ 的 ABCDE 法則
洪蘭 譯

A3221《教孩子學習樂觀》
——兒童／青少年憂鬱防治計畫
洪莉 譯

A3239《改變》
——生物精神醫學與心理治療如何有效協助自我成長
洪蘭 譯

A3277《真實的快樂》
洪蘭 譯

推動教育改革的列車

教育是社會的再生過程，也是社會發展的縮影，社會問題叢生多根源於教育出了問題。今日我們在大聲疾呼教育改革的同時，首先應對教育的本質有清楚的認知：教育的目的是培養學生對知識的真正理解這是毋庸置疑的，但並不局限於知識的刻板傳授，更在發掘引領孩子潛在智慧的發展。

每個孩子的智慧傾向、強度不同，因而形成獨特的自我。我們嘗試以專書，呈現兒童心智發展的全貌，提供日常教學活動的方法，以幫助您重新認識、引導孩子與生俱有的潛能，讓孩子能在適性的學習環境裡快樂的成長。

A3160《超越教化的心靈》
——追求理解的認知發展
Howard Gardner 著
陳瓊森・汪益 譯

A3175《天生嬰才》
——重新發現嬰兒的認知世界
Jacques Mehler & Emmanuel Dupoux 著　洪蘭 譯

A3182《兒童心智》
——從認知發展看教與學的困境
Margaret Donaldson 著
漢菊德・陳正乾 譯

A3214《活用智慧》
——超越 IQ 的心智訓練
Robert J. Sternberg 著　洪蘭 譯

作家系列【智慧成長篇】

Robert J. Sternberg

開展智慧與創造力

「智慧」是一個看不見、摸不著的東西，但是我們的一生卻掌握在它的手中；「創造力」則是21世紀生存和成功的關鍵條件。大多數人對智慧及創造力皆有著錯誤的印象，認為只有少數特定的人才能具備此天賦；其實經由練習可以增進學習能力，增多實用智慧，創造力更是可以發展培養的。耶魯大學心理系與教育系的IBM講座教授史登堡（Robert J. Sternberg）博士，是全球公認當今研究創造力的權威，也是對智慧理論闡述最多、最有創見的教授。他提出的「智慧三元論」突破了傳統以IQ觀點研究智力的方向，為智慧與創造力另闢了一條人人可通達的路徑。

A3213《不同凡想》
——教育界、產業界的創造力開發
Robert J. Sternberg & Todd I. Lubart 著　洪蘭 譯

A3214《活用智慧》
——超越IQ的心智訓練
Robert J. Sternberg 著
洪蘭 譯

A6005《思考教學》
R. J. Sternberg & Louise Spear-Swerling 著　李弘善 譯

多元智慧・終身學習

1983 年美國哈佛大學心理學家迦納（Howard Gardner）提出多元智慧論，引起一股教育改革風潮。到底什麼是多元智慧理論？多元智慧論又該如何落實於教學之中？迦納和阿姆斯壯（Thomas Armstrong）以專業、精闢的描述，引領讀者進入多元智慧的殿堂，讓你找到自己的智慧傾向，明瞭該如何善用多元智慧方式評量學生、發展課程、建構課堂環境、進行班級經營，甚至建立一個完整的多元智慧學校，並探討在特殊教育和其他領域應用多元智慧的可能性。這些著作結合了理論與實務，在今日亟需加速教育改革之際，不僅提供另一視野，更打開了方便之門，讓每個人都可以學習以開放的角度，認識多元智慧並運用多元智慧來豐富人生。

A3207《因才施教》
——開啟多元智慧，破除學習困難的迷思
Thomas Armstrong 著　丁凡 譯

A3237《再建多元智慧》
——21 世紀的發展前景與實際應用
Howard Gardner 著　李心瑩 譯

A3243《多元智慧豐富人生》
——學習得有智慧・工作得有智慧・
生活得有智慧
Thomas Armstrong 著
羅吉台・席行蕙 譯

A3265《經營多元智慧》（增訂版）
——開展以學生為中心的教學
Thomas Armstrong 著　李平 譯